増補◎社会原理序説

それでも変わらない根本的なこと

坂原淳
Sakahara Atsushi

dZERO

増補版刊行にあたって

私は二〇一四年に『次世代へ送る〈絵解き〉社会原理序説』（dZERO）を上梓《じょうし》しました。本書はその既刊に新原稿を加え、改題した増補版です。

「社会原理序説」とはずいぶん大上段《だいじょうだん》に構えた書名ですが、じつはこの書名にこそ、この本の本質、私のいいたいことが詰まっています。

世界的に有名な『自由からの逃走』（一九四一年、初版発行）を著したドイツの哲学者、エーリッヒ・フロムの講演をインターネット動画サイトで見たとき、「この人は自分で考えている、そして自由に考えている」と強く感じました。

日本にも多くの研究者、批評家、言論人がいますが、彼らの講演や著作に触れても、多くの場合は「物知り」であると感じても「自分で考えている」と感じることがありませんでした。

日本は海外の文明や文化を取り込むことに長《た》けているといわれますから、その分、自分で考えるということが少なくなる傾向にあることは仕方がないのかもしれません。

しかし、いや、だからこそ日本人は、ゼロから自分の頭で「人間とはこういうことではないか?」「社会とはこういうことではないか?」と考える必要があるのではないかと思います。それを自分にも課しているので、「社会原理」などという大きなテーマに取り組んでみようと考えたのです。

増補版を出版することにしたのには、大きく二つの理由があります。

一つめは、二〇一四年からの六年のあいだに私自身の考えが深化したので、それを盛り込みたかったからです。

二つめは、社会のありよう、とくに労働のありようが急激に変わろうとしていたからです。インターネットを駆使したメガ企業の強大化によってそれらが根本的に変わろうとしていた矢先、新型コロナウイルスのパンデミックが発生し、その変化に拍車がかかりました。

「変化に拍車がかかった」と書きましたが、社会原理は変わりません。「変わったのに変わらない」とはどういうことでしょうか。

「不易流行《ふえきりゅうこう》」という言葉をご存知でしょうか。江戸時代の俳人松尾芭蕉《まつおばしょう》が説いた俳諧《はいかい》の理念です。この四字の解釈については諸説あるようですが、「不易」はいつまでも変わらないこと、「流行」は時代時代に応じて変化することを意味する点には違いがないようです。

二〇二〇年の今、私たちは新型コロナウイルスによる感染症の世界的「流行」の中にありますが、それでも変わらない「不易」な人類と社会の本質について、私が考えて提示したものが「社会原理序説」です。したがって増補版の本書では、パンデミックという世界的な「流行」を踏まえつつ、それでも変わることのない社会の仕組みや本質を示したいと考えました。

「根本原理」は、定義によって変わることがないので「根本原理」と呼ぶのですから、二〇一四年刊行の『次世代へ送る〈絵解き〉社会原理序説』と今回の増補版においても「根本」はまったく同じです。したがって、既刊の部分は若干の校訂を加えただけで、加筆部分は［増補版追記］として示しました。「補遺」として、この六年で深化した新たな考えを加えました。

さらに巻末に「付録」として、私の自問自答を原稿化しました。じつはこの付録に収めた「問い」は、『次世代へ送る〈絵解き〉社会原理序説』を刊行した際に読者へのプレゼントとして用意した「ワークブック」（問題集）からピックアップしています。ブックレットにして書店に置いたり、ネット上で無料公開したりしたのですが、この、答えの載っていない問題集がとても好評だったので、その中からいくつかの「問い」を選び、その「答え」の例として「私の考え」を示したものです。

私は市井の思索家、路上の哲学者にすぎませんが、学問は学者のものではなく、哲学も哲学者のものではなく、老若男女を問わず、遍《あまね》く世界中の人々のものです。学問も哲学も非常に創造的なものであり、環境や職業、知識レベルなどに関係なく、人々が問い続け、考え続ける「知的営み」であると信じています。

この本を手がかりに、みなさんがそのような「知的営み」を楽しみ、生きることの一助になれば、著者としてはこれ以上の喜びはありません。

二〇二〇年夏　京都にて

阪原《さかはら》淳《あつし》

はしがき

本書は、大学で経済学をかじり、広告会社に就職し、その後は独立して、シリコンバレー、ハリウッドと世界を駆け回り、その中で考えたこと、気づいたことを体系化したものです。そして、大学の客員研究員として研究会で発表したり、学生や縁あって出会った若者たちにこの「社会原理序説」なるものを説いたりしてきましたが、「面白い」という感想や本にしてほしいという要望が多々ありました。

社会の原理とは、社会の根本的な仕組みですが、じつは学校教育では教えません。そのため、社会の原理を知らないまま、学校や家庭から社会へ巣立つ人が多く、その結果、とまどいや不安が必要以上に大きく膨らんだり、悩んだりすることになります。またときに無知と思い違いが重なり、社会や組織とうまく折り合いをつけることができずにいる若い人たちが少なくないようです。

経験を積み、社会のミッドキャリア・中堅となっても、組織のメインストリームを目指すか否《いな》か、転職するか否かなど、考えること、悩むことが数多くあります。同世代の知人たちから、この「社会原理序説」は「組織内の力学や、自分の立場と役割がよくわかる」と好評だったことも、出版を考える契機となりました。

今の大学生や若い社会人は、私の子の世代にあたります。わが子に説くような気持ちで、次世代へ送るようなつもりで本書を書きました。

私と同世代の方にとっては、子の世代に社会を教える教材になり、また、若い方にとっては、社会を理解する参考書になるよう、また、時代が変わったとしても役に立つよう、根源的で本質的、普遍的な内容になるよう構成したつもりです。

私は図を多用しますが、それには二つの理由があります。

一つには、事象について真の理解があれば、一目瞭然《いちもくりょうぜん》の図で表現できると確信しているからです。そして、真に理解した上で表現した図であれば、本質を伝える力があると考えています。

二つめは、本質を考え抜いて描いた図には、描いた人間自身すら気づいていない含意《がんい》があり、その含意を含めて他者に伝えることができると考えるからです。

目次

増補　社会原理序説

それでも変わらない根本的なこと

1 社会とは何か

私はこの本のタイトルを「社会原理序説」と名付けました。「原理」とは、「根本となる仕組み」という意味だろうと思います。「序説」は、「私なりに考えたこと、少しは新しいのではないかと思うことを発表しますから、聡明なみなさん、よかったら一度考えていただけませんか」というつもりで使っています。

「社会原理序説」とは、つまり、「社会」の「根本となる仕組み」について、「私なりの考え、理解を発表してみよう」ということです。

では、そもそも「社会」とは何でしょうか？

国境も、国家という概念すらも存在していなかった太古の時代から、人間は集落を作って暮らしていました。その集落は物理的な障害、川や海、山や谷に遮《さえぎ》られるかたちで、独自の文化や価値観を持ち、集団としての利益をも同じくする共同体を作ってきました。

物理的な障害、川や海、山や谷に遮られるということは、気候なり風土を異にするということであり、その土地にあった生き方、経済活動をその共同体は見つけ出して、自分たちの決まりや制度を作り、「社会」を形成してきたのではないかと思います。

つまり、人間の集団、集落、共同体が、決まりや制度を持つときに「社会」になります。それはやがて、村や町、国などの政治的な制度になっていくのですが、多くの場合は、その土地の気候、風土、天然資源、自然環境に強い影響を受けて、個性を作ってきました。

今の子どもたちが大人になる時代には、バーチャルな共同体が出現する可能性もあります。土地の気候、風土、天然資源、自然環境などの影響をまったく受けていないにもかかわらず、独自の文化や価値観を持ち、集団としての利害を共有しながら決まりや規則を持つ新しいかたちの「社会」が出現しているかもしれません。

この「社会原理序説」は、そのような社会になっても変わることのない「根本的仕組み」について説明しているつもりです。

2
社会はどのように発展していくのか

二十年後、三十年後は、学校という制度がなくなり、もっともっと早くに職業を決めるか、もっともっとあとに職業を決めるようになっているかもしれません。

しかし、職業を見つけ、職業人として生きることは、今も将来もそれほど変わらないでしょう。職業選択においては自分の内なる声を聞くしかありません。一方、一人で生きていくわけではないので、どういう社会でどのように生きるかによって、人生が変わります。

「社会原理序説」の中で、最も大切な考え方は「弁証法《べんしょうほう》」です。弁証法は、あることがらを「対話を通して吟味、検討すること」で、古代ギリシャの時代

図1

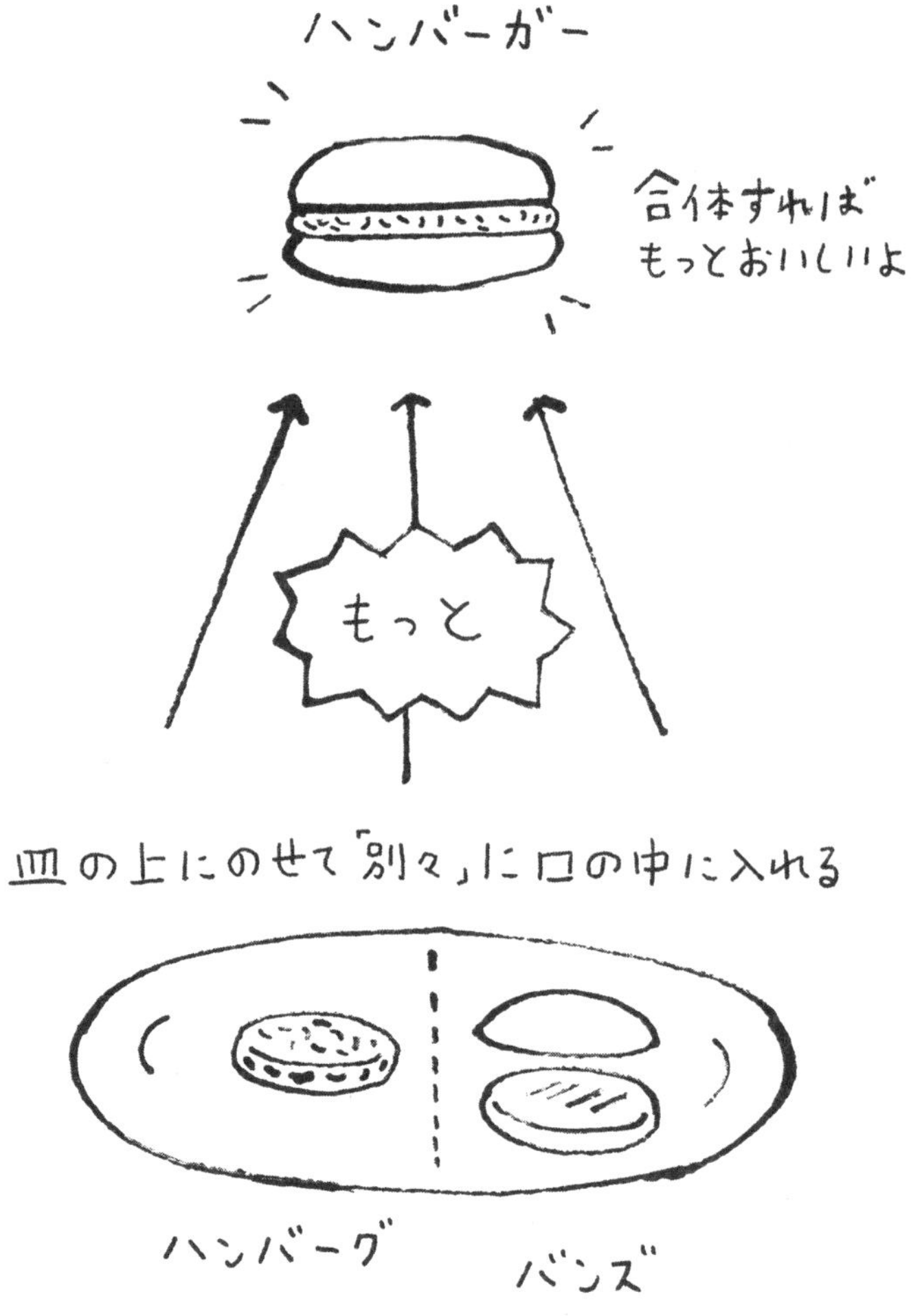
ハンバーガー
合体すれば
もっとおいしいよ
もっと
皿の上にのせて「別々」に口の中に入れる
ハンバーグ
バンズ

からありました。弁証法といえばヘーゲルの「弁証法的展開」が有名です。まず、そこから始めましょう。

私は、ヘーゲルの「弁証法的展開」をわかりやすく説明するときに、ハンバーガーを用います。これを「ハンバーガーの弁証法的展開」と呼んでいます。

右にバンズ、左にハンバーグがあります。もし、一つの皿にバンズとハンバーグをのせ、ナイフとフォークで切りながら食べたら、それは、バンズの味とハンバーグの味をそれぞれ別に味わうことになります。

しかし、バンズにハンバーグを挟んで食べると、「えもいわれぬ味」になります。もうこれは、ナイフとフォークで食べている世界とは異なる世界の味で、わかりやすくいうと、「バンズに挟んで食べると〝もっと〟おいしいよ」というわけです（図1）。

この、味の次元をあげる「もっと」を、哲学の用語では「止揚《しよう》」とか「アウフヘーベン」というらしいのですが、私は「ハンバーガーの〝もっと〟」と呼んでいます（図2）。さらに、バンズとハンバーグのような、互いに異質なもののあいだに「もっと」が起こり、まったく別の優れたナニモノかになる作用が、「ハンバーガーの弁証法的展開」です。

図2

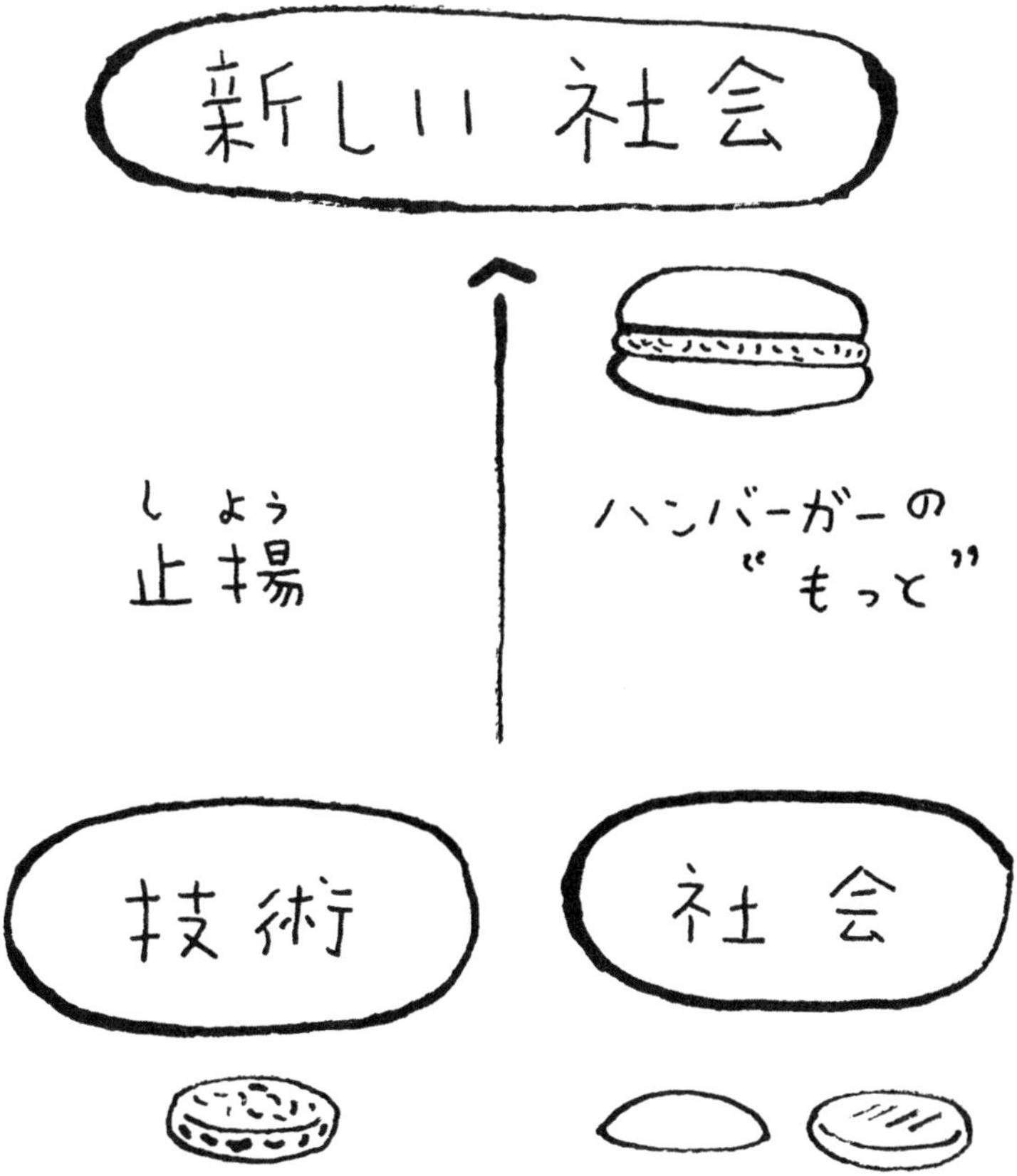

そして、結論から先にいうと、社会の発展は、「技術」と「社会」が「ハンバーガーの弁証法的展開」をすることと、私は考えています。

たとえば、図3を見てください。ジェームズ・ワットが蒸気機関を発明しました。右側に、蒸気機関が発明される直前の社会があります。左側に蒸気機関です。

発明された日は、蒸気機関が発明される直前の社会に、突然、蒸気機関が現れ、そこにあるだけの話です。蒸気機関は社会に何も影響を与えていません。

しかし、時間がたつと、様子が変わってきます。機関車ができ、蒸気汽船ができ、黒船となって日本まで来て、日本を開国させてしまいます。そうすると、「技術」が現れたことによって、「社会」はその「技術」をとり込んだ、「新しい社会」に変貌《へんぼう》します。

それらによって社会はグローバル化しました。その先で、二つの世界大戦を経験し、国際社会のさまざまな新しい「制度」も生まれました。新しい「制度」を持った「新しい社会」になったのです。

若い君がこれから生きていく社会、毎日、見る社会の様子は、結局は、この「技術」と「社会」が弁証法的展開をして「新しい社会」を作っていく様子なのだと思います。

そして、会社員になろうと、科学者になろうと、政治家になろうと、医師に

図3

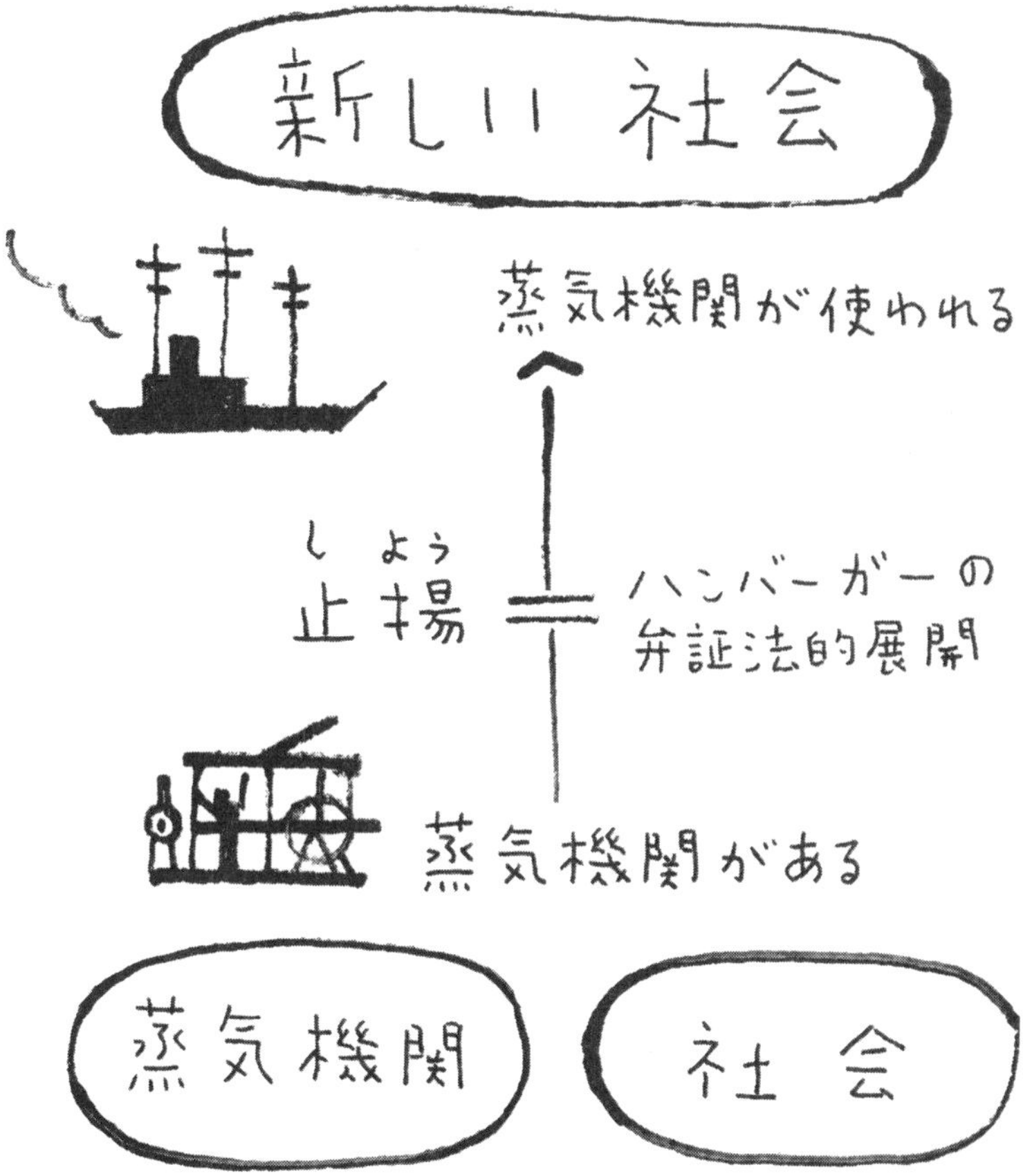

なろうと、社会で生きるということは、この「技術」と「社会」の弁証法的展開のいずれかの部分を担い、その変化の波の中を生きるということになります。

そこで次に、「技術」と「社会」の弁証法的展開がどのように起こるのかをていねいに説明してみたいと思います。

3 経済とは何か

「社会とは何か」の中で、「経済活動」という言葉を使いました。それではそもそも、経済とは何でしょうか。

経済活動は、モノを作ったり、それを消費したり、売買したりする人間の活動ですが、この本ではその活動の「やり方」を経済と呼びます。

たとえば、「お金」というものが存在せず、「物々交換」だけの社会もあります。所有を認める自由競争の社会もあるでしょうし、所有を認めない、「世の中のモノはみんなのモノで、だれもが必要に応じて使える」という考えもあります。

社会に生きていると、今の社会のあり方を当然と考え、世の中の「ありよう」「やり方」、つまり「経済」は「これしかない」と思いがちですが、じつはいろいろとあるものなのです。

そういう世の中の「ありよう」「やり方」を科学的に理解するのが社会科学といわれる分野で、経済を対象にする経済学もその一つの分野です。

人間社会では、それぞれが製品（商品）を作り、貨幣を通じてそれらを売買し、交換しています。「交換」がなければ、自分に必要なものは自分で作らなければなりませんが、このシステムがあるおかげで、自分に必要なものは貨幣を使うことで手に入れることができます。このような方法は昔からあり、街々に「市《いち》」が立ち、売買が行われていました。こうした、「市」の機能を前提に考える「社会のありよう」を経済学では「市場《しじょう》経済」と呼びます。

道徳の研究者から経済学の祖と呼ばれるようになったアダム・スミスは、企業や人々がそれぞれ製品（商品）を作り、貨幣を使って市場で売買する市場経済は、「神の見えざる手」によって適切に調節されるので、市場経済はよいことだという主張をしました。「心配しなくても神さまがちゃんとやってくれるよ」という予定調和的なアダム・スミス流の経済学は、古典派経済学と呼ばれています。

市場経済の時代に、根源的な意味を考える哲学を学んだあとで、「それは本当だろうか？」と「価値の意味」から考えなおしたのが、カール・マルクスでした（正確には、盟友エンゲルスの手によって発表されたものが多いので、マルクスの思想と著作のあいだには相違があるともいわれています）。

カール・マルクスは、社会を図4のような三角形の下部構造と上部構造としてとらえました。下部構造を経済の実体たる生産の諸関係、つまり実際の経済活動、上部構造を政治、政治制度、法律制度として理解したのです。そして、「下部構造が上部構造を規定する」、つまり、経済の実体的なあり方が、政治制度や法律制度を決めるのだ、と考えました。

カール・マルクスは、市場経済を資本主義と呼び、生産手段を所有する資本家と、資本家の下《もと》で働く労働者の二つの階級が生まれ、結局は階級闘争となって革命が起こり、市場経済ではなく、もっと平等な社会主義になると考えたのでした。あとで紹介する、私の社会原理序説を説明する円錐《えんすい》のチャートは、マルクスのこの図にヒントを得ています。

マルクスの思想、考えの影響で、多くの社会主義国が生まれましたが、市場経済ではない経済体制とは、結局は計画経済——社会のどこかで、だれかが作った計画に基づいて経済活動をする——体制ということになります。「心配しなくても神さまがちゃんとやってくれるよ」という神さま頼みの古典派を否定し、「ちゃんと人間が自分で考えなければ」という、神さまを否定した「人間中心主義」であるのが社会主義でしたが、それはうまくいかず、多くの国が社会主義をやめてしまいました。

どうしてかというと、社会のどこかで計画を立てる人が社会のすべてを知り、人々に十分なやる気や動機を与え、社会の経済活動を管理するのは不可能だからです。

市場経済においては、貨幣を通じた売買によって、製品（商品）を交換するのですが、それ以外に大切なものが交換されています。それは「情報」です。

たとえば、市に行けば、どんなものが、どのくらいあり、どのくらいの値段で、どんな人に必要とされているかなど、さまざまなことがわかります。市場経済では、場所は原則的に市とは限らず、どこでも売買可能なので、社会全体が市場であり、その市場は情報であふれているともいえます。

その市場で交換される情報に基づき、各自が知恵を絞《しぼ》って経済活動をするほうが、不完全な情報からだれかが立てた計画に従って経済を動かすよりも、情報において優れている。各自が自分のことや自分が持っている資産や才能、可

図4

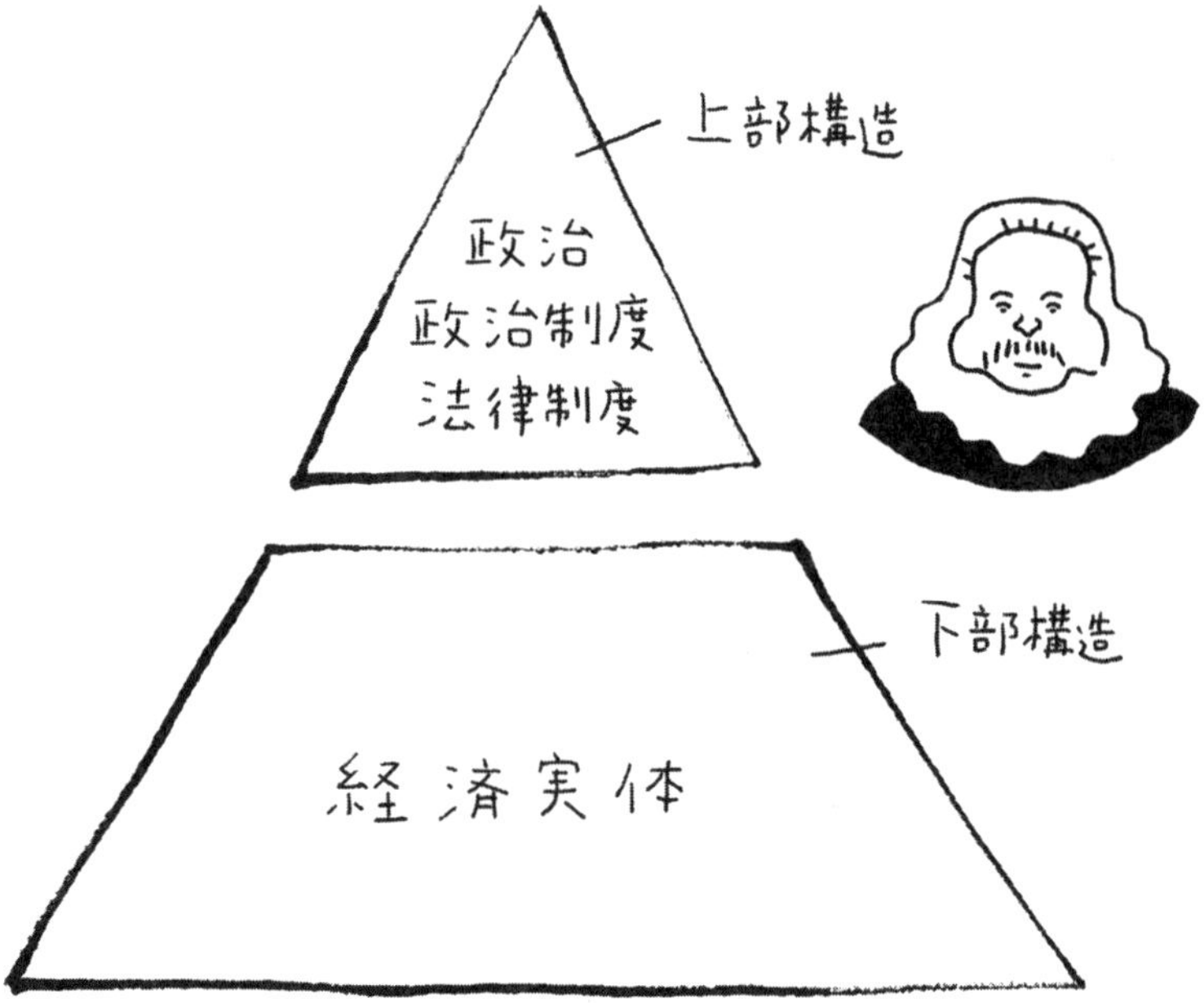

能性をよく理解し、知恵を絞ってがんばる。その努力が報われる制度のほうが経済的には優れている——。このように社会主義経済を批判し、市場経済を優れた経済体制であると説いたのが、「新古典派」（アダム・スミスの古典派よりも新しい市場経済主義）です。図5の「自由派」のカテゴリー（私流の整理法です）では二世代めになります。

新古典派は、「神さまを否定した人間中心主義」的な社会主義、計画経済をさらに否定した自由主義で、アダム・スミスの古典派とは予定調和的な神さまがいるかいないかが大きな違いです。社会主義の人間中心主義を否定するという意味では、自由競争を意識した「人間限界主義」ともいえます。これは、どんなに有能な人が、ありとあらゆる方法で情報を集めて計画を立て、社会を運営しようとしても、人間中心の社会主義には「限界」があるという意味です。「新古典派」に導かれるように、世界はどんどん自由競争社会になり、グローバル化が進んだのですが、「本当にそれでいいのか？」という見直しも行われています。

環境の問題、福祉の問題、教育の問題、格差の問題など、自由派的な「市場経済」だけではうまくいかないことが多く、それにどう対処するのかということが、いつも社会の問題になります。とくに、市場の調節作用がうまく機能し

図5

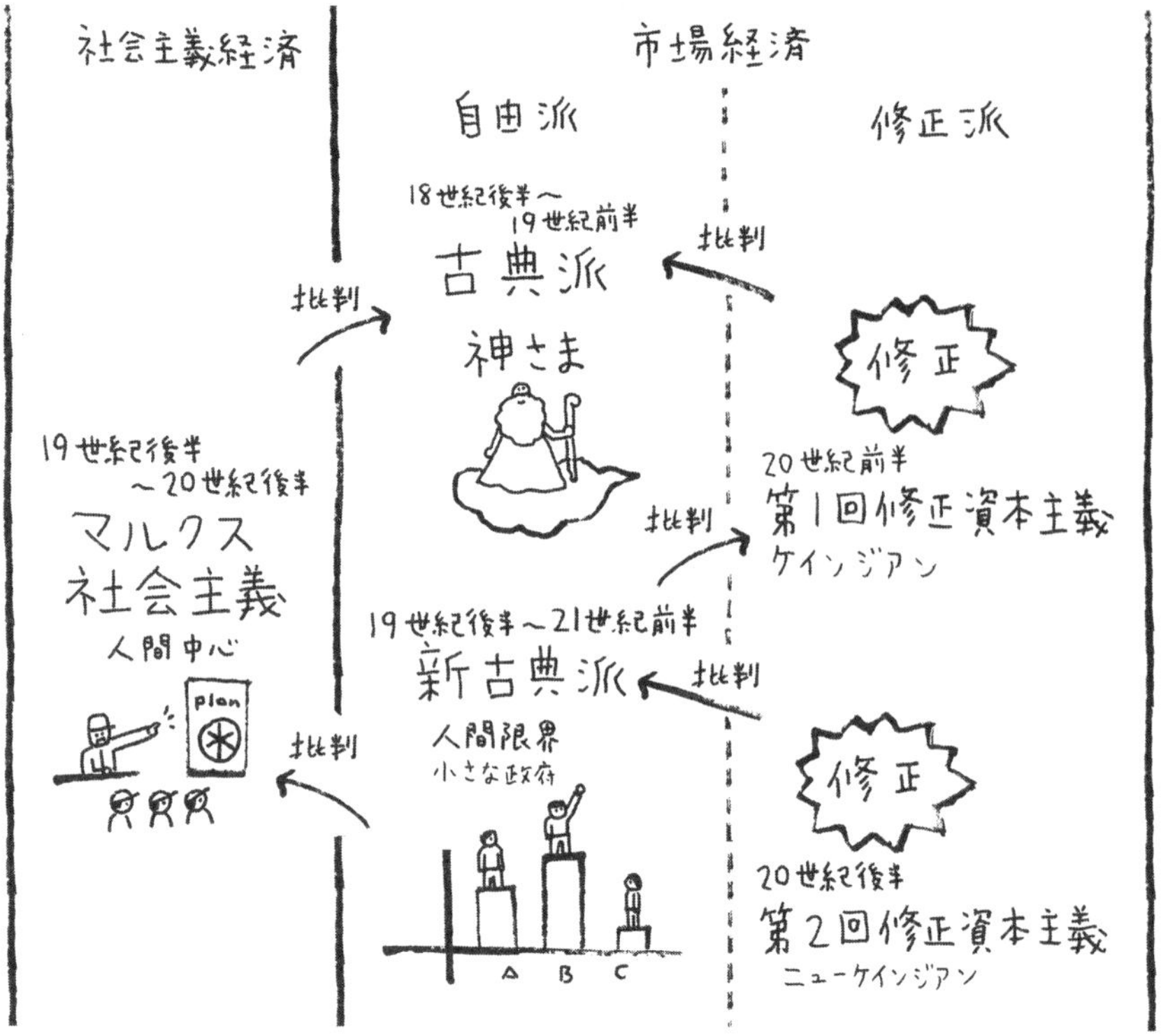
社会主義経済
市場経済
自由派
修正派
18世紀後半〜
19世紀前半
古典派
批判
批判
神さま
修正
20世紀前半
第1回修正資本主義
ケインジアン
19世紀後半
〜20世紀後半
マルクス
社会主義
人間中心
plan
批判
19世紀後半〜21世紀前半
新古典派
批判
人間限界
小さな政府
批判
修正
20世紀後半
第2回修正資本主義
ニューケインジアン
A B C

ないために発生する失業の問題は大きく、自由派的な「市場経済」の限界に政策的に対応しようという修正派が生まれました。私流に「第一回修正資本主義」と呼んでいるもので、イギリスの経済学者ケインズたちによって考えだされました。

「第一回修正資本主義」も政府が大きくなりすぎ、財政赤字などの問題が発生しました。それを「小さな政府」にして新古典派は対応したのですが、市場経済の中で大切な「価格の調整」がうまくいかず、その新古典派を「やっぱりうまくいかない」と再批判したのが、修正派の「第二回修正資本主義」でした。一回めの修正資本主義を「ケインジアン」、二回めの修正資本主義を「ニューケインジアン」と一般に呼んでいます。

経済学は「どのくらいまで社会を市場にゆだねるべきか」を論じている学問にも思えますが、アダム・スミスが「市場に任せれば大丈夫だ」といって始まった学問が経済学ですから、当然です。

これから示す考え方は、新古典派、マルクス主義などを融合させつつ、多様な経験から私なりの気づきをまとめ、体系化、モデル化を試みたものです。

4　四つの階層のコーン

私は、カール・マルクスのような三角形ではなくて、コーン（円錐《えんすい》）によって社会の仕組みを示しています（図6）。

階層は四つです。

まず一番下の根底になっている部分です。すべての人、すべての社会は何らかの自然の中に存在し、その環境から何らかの影響を受けています。

原油が出れば石油の産業が起こります。水が豊富なら水を使った産業、たとえば精密機械産業が起こります。あるいは、天気がよければ、ハリウッドのような映画産業が起こるわけです。

それが社会の土台で、第一階層です。人はこの第一階層にある天然資源を活用し、経済活動を行います。経済活動が第二階層です。

わかりやすい例として、「魚の獲《と》れる池の話」をします。

森の中に池があったとします。その池の存在には、まだだれも気づいていません。あなたが、だれよりも先に、その池には多くの魚がいて、獲りたいだけ獲れることに気づいたとします。

魚を市場に持っていけば売ることができ、しかも今の仕事よりずっと儲《もう》かるのなら、あなたは毎日、喜んで池に通い、魚を獲っては売りに行くでしょう。その結果、収入は増え、生活が潤《うるお》うでしょう。あなたの友人は、どうしてあなたの羽振《はぶ》りがよくなったのか、何をしてお金を稼《かせ》いでいるのか、興味を持ち始めるでしょう。人間は、「やり方さえわかれば、自分にもできる」と考えることができる唯一の動物だからです。

友人はあなたを注意深く観察して、その池のことを発見し、仲間に入ろうとするでしょう。あなたは友情の証《あかし》としてすぐに受け入れるかもしれないけれど、あるいは、合理的に考えるかもしれません。合理的に考えるとしたら、判断の根拠は、「最低限、損をしない」ことでしょう。「損をしないならいいか」というわけです。

「最低限、損をしない」ことをよくよく考えると、二つの側面から見る必要が

図6

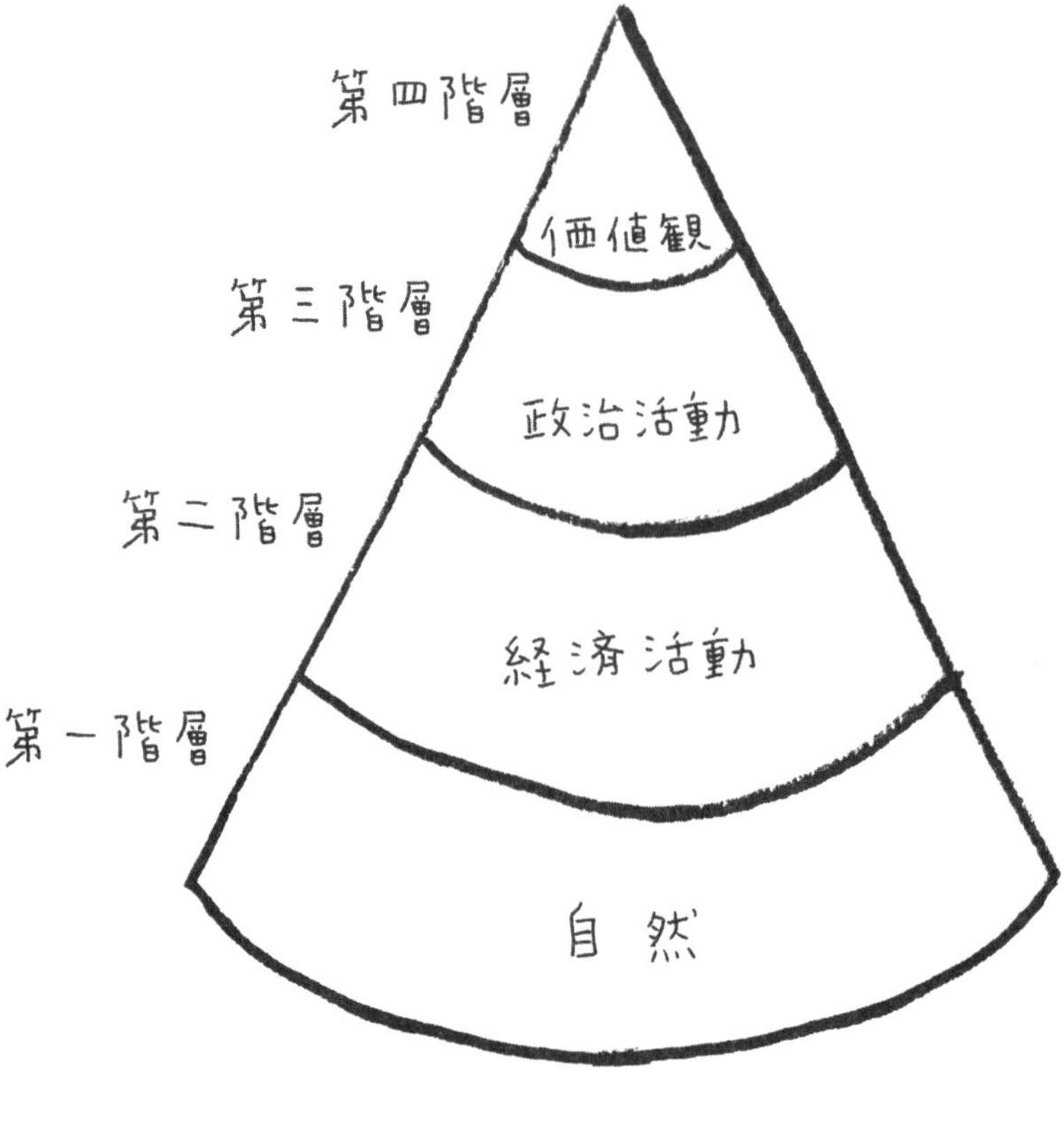

あることに気づきます。一つは「売る」という面で、もう一つは「獲る」という面です。

「売る」ほうの問題は、自分の売っている量が減らないか（お客さんのとり合いをするかもしれない）と、価格が下がらないか（魚がたくさん出回ると、値段が下がるかもしれない）です。

「獲る」ほうは、自分の漁獲高が落ちないか、長期的に見てその池の魚資源が枯渇《こかつ》しないかを考えなければなりません。

売る面でも、獲る面でも問題がなければ、その友人を仲間として受け入れない合理的な理由はないことになります。

では、あなたとその友人の様子を見て、新たにまた別の友人が仲間に入りたいと言ってきたらどうでしょう。あなたと友人は「最低限、損をしない」ことを再び考えるでしょう。そして、あと一人は仲間に入れても大丈夫だけれど、さらに受け入れると損をすることがわかったとしたら、あなたと友人は二人めの友人を最後にして、「もうこれ以上はこの池の魚ビジネスには仲間を増やさない」と決めるのです。

つまり、あなたと友人二人、三人の仲間はそこに漁業組合を作ることになり、「この池の魚は私たちのものだ」と高らかに宣言し、権利を主張するのです（図7）。

図7

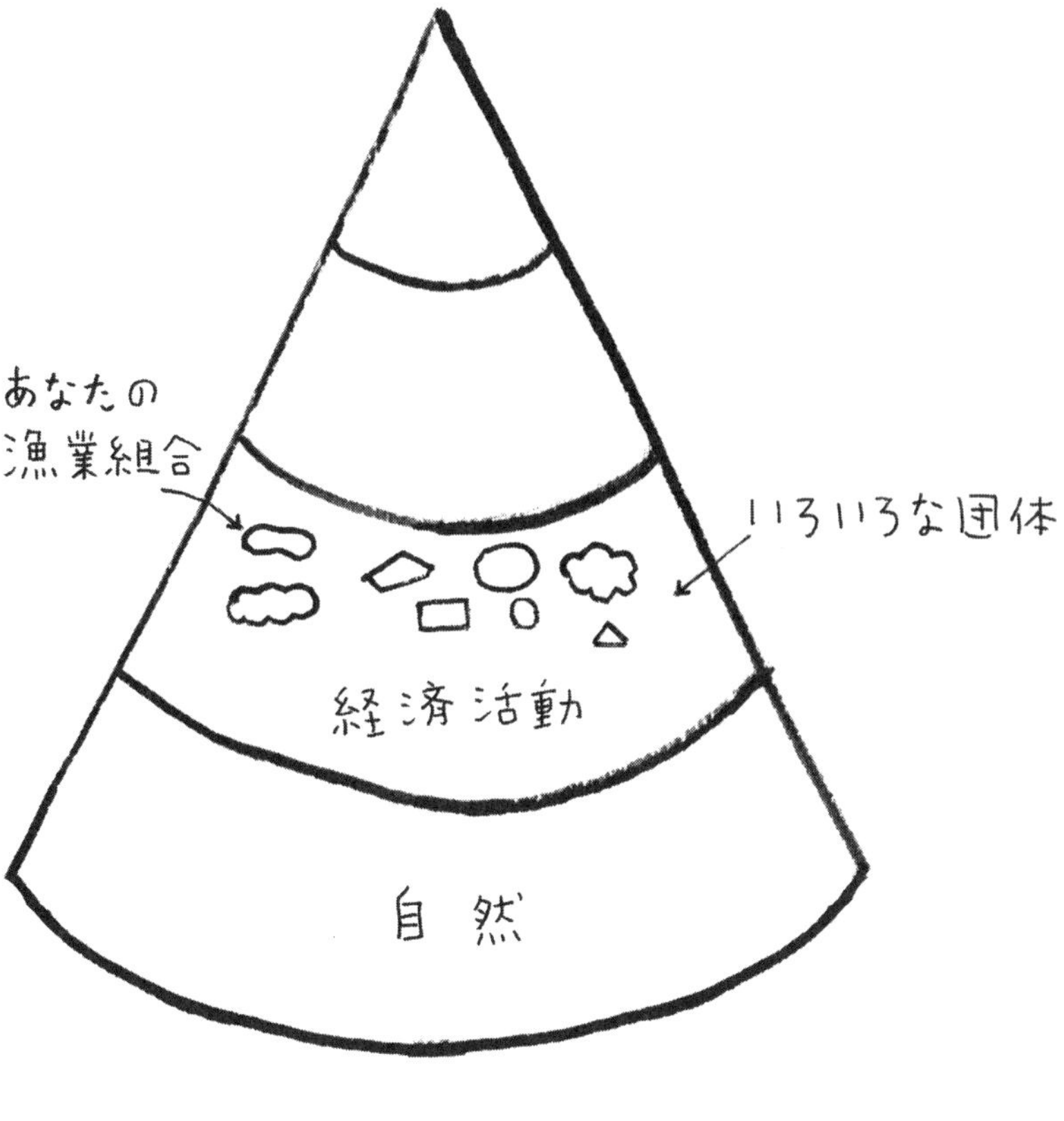
あなたの
漁業組合
いろいろな団体
経済活動
自然

5 マダルの虎

「権利を主張するのです」と書きましたが、権利とは何でしょうか。

大学に客員研究員としての籍があったので、大学図書館の哲学の棚の本のページというページを片っ端からめくったことがあります。読んだわけではありません。ただただ、ページをめくっていました。

哲学は、人間が生きていく中で出合うさまざまな事象について、根源的に考える学問です。その中でもとくに、「真・善・美」について考えるのが哲学だと思います。「何が本当で、何が善《よ》いことで、何が美しいことなのか」について深く考える、ということです。

二、三ヵ月のあいだ、時間を見つけては哲学の本のページをどんどんめくっていたのですが、そのときにどこからともなく、ふわーっとわき上がってきた物語があります。

「マダルの虎《とら》」という物語です。

インドにマダルという猛獣《もうじゅう》使いがいました。マハラジャに招待されて、イヌやら虎やらライオンをマハラジャの前で操《あやつ》ってみせ、マハラジャにたいそう気に入られました。その夜、マハラジャの家に泊めてもらいました。

翌朝、マダルが散歩をしていると、すさまじい虎の咆哮《ほうこう》が聞こえてきました。聞こえてくるほうに歩いてみると、マハラジャの屋敷のはずれに猛獣を入れる檻《おり》があり、そこには大きな美しい虎がいました。

その虎の美しさに魅入《みい》られたマダルは、「私が飼っている猛獣をすべて差し上げるから、その虎が欲しい」とマハラジャに懇願しました。最初は断ったマハラジャですが、三十日の間、毎晩、毎晩、懇願するので、マダルの求めに応じることにしました。

マダルは翌朝、自分が連れてきた猛獣のすべてを残し、マハラジャにもらった大きく、美しい虎の首に鉄の鎖《くさり》をつけて、うれしそうに、朝日のほうに向かって草原を歩き出し、去っていきました。

翌日の昼下がり、大きく、美しい虎が、草原で一頭、たたずんでいました。そして、その大きく、美しい虎のすぐわきには、虎に食われ、遺骸《いがい》となったマダルがありました。

はたして、この虎はだれのものなのでしょう？

多くの人は、唐突なこの質問にとまどいます。

この不思議な気持ちは何なのだろうと考えました。

この不思議な気持ちは、無批判に前提とし当然だと思っていたことが危うくなるからではないかと思います。

マダルがどれほど懇願して手に入れた虎であれ、虎には、それはまったく関係のないことであり、マダルと虎のあいだには、所有と被所有の関係はまったく存在しないということ、人間社会の根本的常識である「所有権」というものの考え方は、自然の世界においては幻想にも等しいということを突きつけられたのです。

自然はいつも人間の持っている世界観を試しているともいえます。食われてしまったマダルを見たときの不思議な感覚は、人間の構築した世界観から、その世界の外を体験したときの、当然だと思っていたことに依拠《いきょ》できない所在のなさなのではないかと思います。

人間の常識、認識というのは人間の都合であって、自然というのは、その外にあります。結局、「所有」というのも人間の生み出した概念であり、それを法律という制度――人間による構築物――によって「権利」としているだけで、自然から見れば、非常に脆弱《ぜいじゃく》なものなのです。

6 価値観とは何か

ここで「価値観」について説明しておきます。

価値観を一言で説明すると「何が大切か」ということです。「マダルの虎《とら》」には、「所有」という人間の世界の制度、決まりごとは存在しないだけでなく、「人間を食べてはいけない」というルールもありません。あるとしたら、人間による調教、教育を受けた虎だけだろうと思います。マダルの虎に、人間の価値観は通用しません。ルールも結局は、人間にとって大切なこと(価値観)を守るために作られているにすぎず、マダルの虎とはそもそも無縁な話なのです。

では、人間社会はどうでしょう。どの社会にも価値観は存在しますが、一見同じようでも、よく見るとずいぶん異なります。「食べ物」を考えてみるとよくわかります。

イスラム教、ユダヤ教には、それぞれ、「ハラール」「コーシャー」という食べ物の戒律があり、どちらでも豚を食べることは禁じられています。ヒンズー教では牛を食べることが禁じられています。現代の日本人は何でも食べますが、昔の日本人は肉をそれほど食べませんでした。仏教の影響だといわれています。これらは宗教的な影響の強い価値観です。

宗教的ではない価値観もありそうです。たとえば、日本の東側、東京などでは納豆が好きな人が多く、西側、京都などでは納豆の好きな人はぐんと少なくなります。これは、使用可能な食材、つまり、自然環境や運輸などのシステムの制約の中での生きていくための創意工夫、長い伝統の中で育《はぐく》まれた文化であるといえます。

琵琶湖《びわこ》のある滋賀県では「鮒寿司《ふなずし》」と呼ばれる、好きな人以外には「臭《くさ》くて酸《す》っぱい」だけの珍味があります。じつはこれとよく似たものがスウェーデンにもあります。この国は海に面していますが、「スウェーデンの鮒寿司」といわれる世界一臭い缶詰《かんづめ》「シュールストレミング」があります。魚を原材料とするよく似た二つの珍味は、湖と海の違いこそあれ、水辺であることを不可欠の要素とし、ほかのさまざまな要素が加わりながら、生まれ、育まれてきたのででしょう。

価値観は歴史や文化、宗教によって構成されているものですが、宗教を強く信じる人は、文化は宗教の下《もと》にあると思うでしょう。

一方で、それぞれの宗教は、いろいろな自然環境の下で生まれたものだと考える人もいます。そうかもしれません。イスラム教やユダヤ教は中東の暑い場所で生まれたので、傷んだ食べ物を食べないように戒律を作ったともいわれています。

いずれにしても、自然環境の影響は強いようです。また、社会の価値観は長い時間をかけて育まれてきたものだけに、変化するにも長い時間が必要になることは間違いなさそうです。

「マダルの虎」の話でいうと、その大きく、美しい虎には、「人の命は大切」という価値観、またその価値観に基づく「人を食べてはいけない」というルールもないので、マダルを食べてしまいました。

コーンの第二階層から第四階層までは、人間が勝手に作り上げた構築物ということになり、人間は何をしようとも第一階層のルールから自由になることはできません。

7 政治とは何か

あなたが作った漁業組合も、人間の作った制度に依拠《いきょ》しています。「この池は私たちのものだ」と主張したところで、「所有」という考えは人間の都合で作り出した決めごとにすぎないのです。魚は、自分たちがだれかの所有物であるとはこれっぽっちも思わずに、売られていきます。

その人間の決めごとは、どのような過程を経て有効になっていくのでしょうか。

人間は社会を作って暮らしています。社会には秩序が存在します。秩序とは望ましい状態を保つための順序や決まりのことです。

たとえば、「池は最初に見つけた人のものだ」という決まりがあったから、「入れてほしい」と友人は言ってきました。それがなければ、その友人は黙って魚を獲《と》って、勝手に売ってもよかったわけです。決まりは、明文化されている場合もあれば、暗黙の了解として存在するものもあります。人間はそういうルールを作りながら、社会を作るのです。

ルールが明文化されていると法律、されていないと慣習ということになります。

法律を作っているのは、広義の意味での政治の領域で活動する人たちです。民主主義的に選挙で選ばれた代議士かもしれませんし、独裁者や王かもしれません。行政の官僚も含まれるでしょう。

政治とは何をすることなのでしょうか。

コーンでいうと、下から、自然、経済活動、次の第三階層目が政治活動の領域です。一番上の第四階層の「価値観」についても政治活動に直結するのであわせて説明します。

政治の仕事は、独裁的な社会であれ、民主主義的な社会であれ、社会の資源をどのように配分し、どのように社会を動かしていくかを決めることです。

単純化した例で考えてみましょう。

政治制度のない非常に原始的な太古の集落を考えてください。その集落には、万が一決壊すると被害の大きい川の堤防をどうするか？　別の集落、敵対的な集落が攻めてきた場合の武器や城壁をどうするか？　神さまを祀《まつ》る社《やしろ》が古くなっているけれどどうするか？　という問題があります。この集落では、労働を提供できる男が三十人いるとします。

するると、たとえば、次のような選択肢を集落としては考えるのです。

A　川の堤防はめったに決壊しないが、万が一決壊した場合、集落の被害は甚大《じんだい》なので、堤防の建設を最優先にすべきだ。

B　敵対的な集落が攻めてきた場合の損害は、堤防の決壊の場合に比べると小さいが、聞こえてくる情報によると、一年以内に攻めてくる準備をしているらしい。負けることは集落としては絶対に受け入れられないから、武器の準備と城壁の建設を最優先にすべきだ。

C　神さまにお祈りすればすべてがうまくいくので、社を新しくすることを最優先にすべきだ。

神さまがいるかどうか、社を新しくしたらうまくいくかどうかはわかりませんが、集団であれ、個人であれ、社会の意思決定をする人がそれを信じていれば、ほかの選択肢と並列することはおかしいことではありません。

その集落は、三つの選択肢から一つを選んで三十人の男すべてを投入するか、複数の選択肢を選んで労働力を振り分けるか、あるいは何もしないか……のどれかを「選択」します。

そして、その「選択」は、「被害の大きさ」「負けられない理由」「新しい社会と神さまの力を信じているか」などのさまざまな「大切さ」、すなわち「価値観」に基づいてなされることになります（図8）。

現代は民主主義が主流なので、選挙により選ばれた政治家が選択肢の中から「選択」し、国なり県なり市なりの行政が、選ばれた選択肢を「実行」します。

しかし実際は、政治家は民主主義の淘汰《とうた》とも呼ばれる選挙に忙しいので、自分たちだけで選択するということはしません。研究者や専門家、行政の官僚らに検討してもらい、彼らが提案した「選択肢」を、社会のさまざまなグループの利害を調節したり意見を聞くなどしながら実行していくのが実情のようです。

まとめると、どのような社会を作るか、ということについての選択肢を出して、価値観やビジョンに基づいてその中から最適なものを選ぶのが政治の仕事です。選んだあとは、実行です。

図8

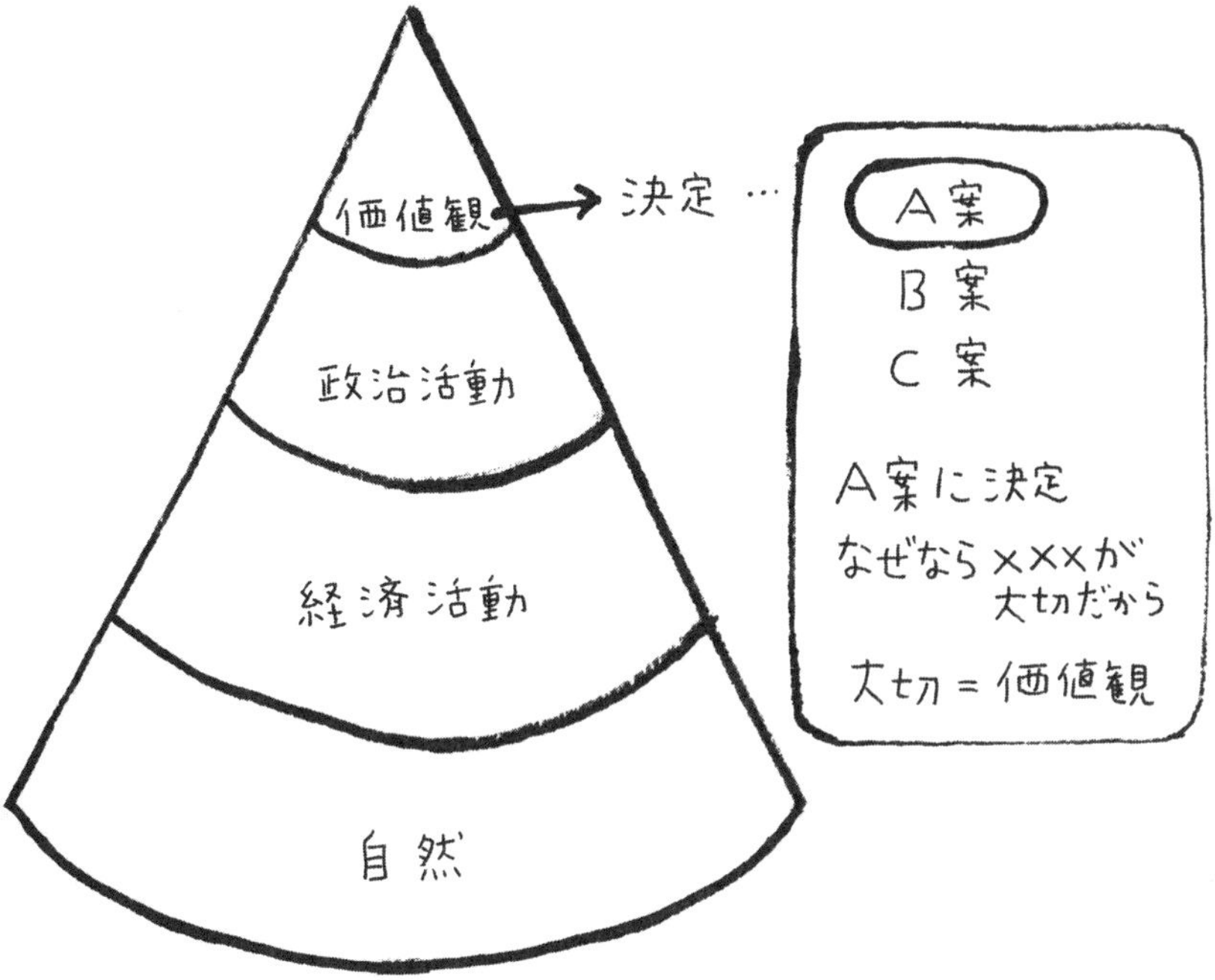

国防、外交、産業政策など、国全体にかかわることなら、霞《かすみ》が関《せき》にある中央官庁が行い、地元の産業振興や、福祉など国が大枠を決めるものでも個別に地域で対応すべきものは地方自治体が行います。社会のルールが必要になれば、国会で法律を作り、地方議会では条例を作り、裁判所が法律を適用して事件や争いごとの解決に当たるというのが、現代における第三階層の政治活動のあり方です。

ところで、社会全体の価値観はどうやって作られるのでしょうか？価値観は歴史や文化、宗教によって作られていきますが（詳しくは次項で書きます）、時には政治（間接的にはその土台の経済）から大きな影響を受けることもあります。

先に一例を挙げれば、社会主義国では、「経済とは何か」で述べたように「神さまを否定した人間中心主義」ですから、宗教は否定されました。中には、過去の文化遺産をほぼ丸ごと否定した国もありました。また、異教徒同士の国が戦争をすると、敗者は勝者の宗教に改宗させられることが多く、たとえばスペインがアメリカ大陸を植民地化する際には先住民をカトリックに改宗していきました。国を治めるために王が宗教を導入することもあります。日本は国を治めるために、積極的に仏教を導入しました。

図9

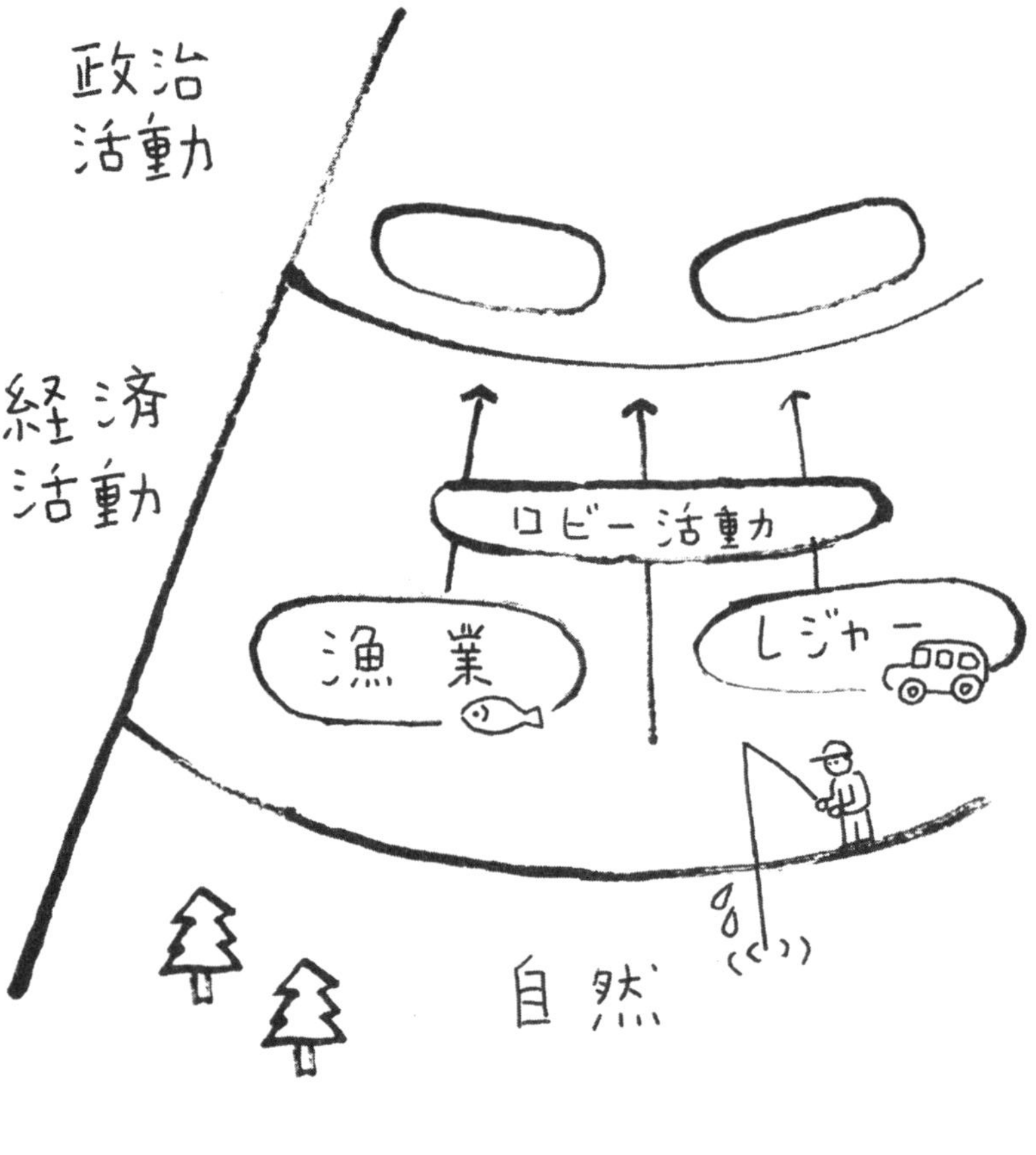

話を戻しましょう。社会に漁業組合というものが存在しない場合は、漁業組合のルールを定めた法律を作るよう、政治家に働きかける必要があります。自分一人のために法律を作ってもらうのは難しいので、ほかに池を見つけて、自分と同じように漁業組合を作りたいと考えている人たちとグループを作って、政治家に働きかけるでしょう。グループから適法の範囲で政治家に献金をするかもしれません。民主主義の世界では多数決でものごとが決まりますから、多数派工作をするのです。このような活動をロビー活動と呼びます。

そして、世の中にはこのような利害を同じくするグループがいくつもあり、政治家に影響力を及ぼし、社会が作られています（図9）。

8
社会の価値観を作っているのはだれか

何が大切で、何に価値があるのかという基準、つまり社会の価値観は、政治によってのみ作られるわけではありません。では、どんな人たちが価値観の形成にかかわっているのか、考えてみたいと思います。

大きな出来事や事件は、その時々の政権や権力者、権威者によって、原因や意味を解釈されながら、「歴史」として残され、社会の通説として広められます。これも価値観を作る重要な要素となります。

マスメディアのないころには、自分たちは「どこから来たのか」「どこに行くのか」「何が大切なのか」という疑問にだれが答えていたのでしょうか。また、「人生を生きる知恵」はだれが教えてくれていたのでしょうか。

いにしえに、だれかが神話、伝説、民話、昔話を作りました。それが人から人へと脈々と物語られ、伝えられてきました。宗教もその役割を果たし、多くの物語を持ち、価値観、そして、儀礼や戒律を伝えました。

やがて、新聞、映画、ラジオ、テレビ、インターネットなどというマスメディアが出現し、社会は大きく変貌《へんぼう》しましたが、情報は取捨選択され、編集され、物語となり、社会の価値観形成の一翼《いちよく》を担っています（図10）。


教育もまた、社会の価値観を形成する大きな仕掛けとして働きます。

現代の民主主義社会においては学問の自由はありますが、学校教育で使用する教科書の多くは、社会の秩序を作っている側、つまり、社会の保守である政府によって内容が決められます。学校教育も保守によって内容が決められます。学校教育は多くの場合、保守が大きく関与し、人々に知識と技能を与え、社会の未来を決定することになるのですから、何を教えるのがふさわしいかを保守が考えるのは当然です。


ここで「保守」について説明しておきます。社会の仕組みを理解するには、とても大切な概念（意味をもった枠組み）です。

図10

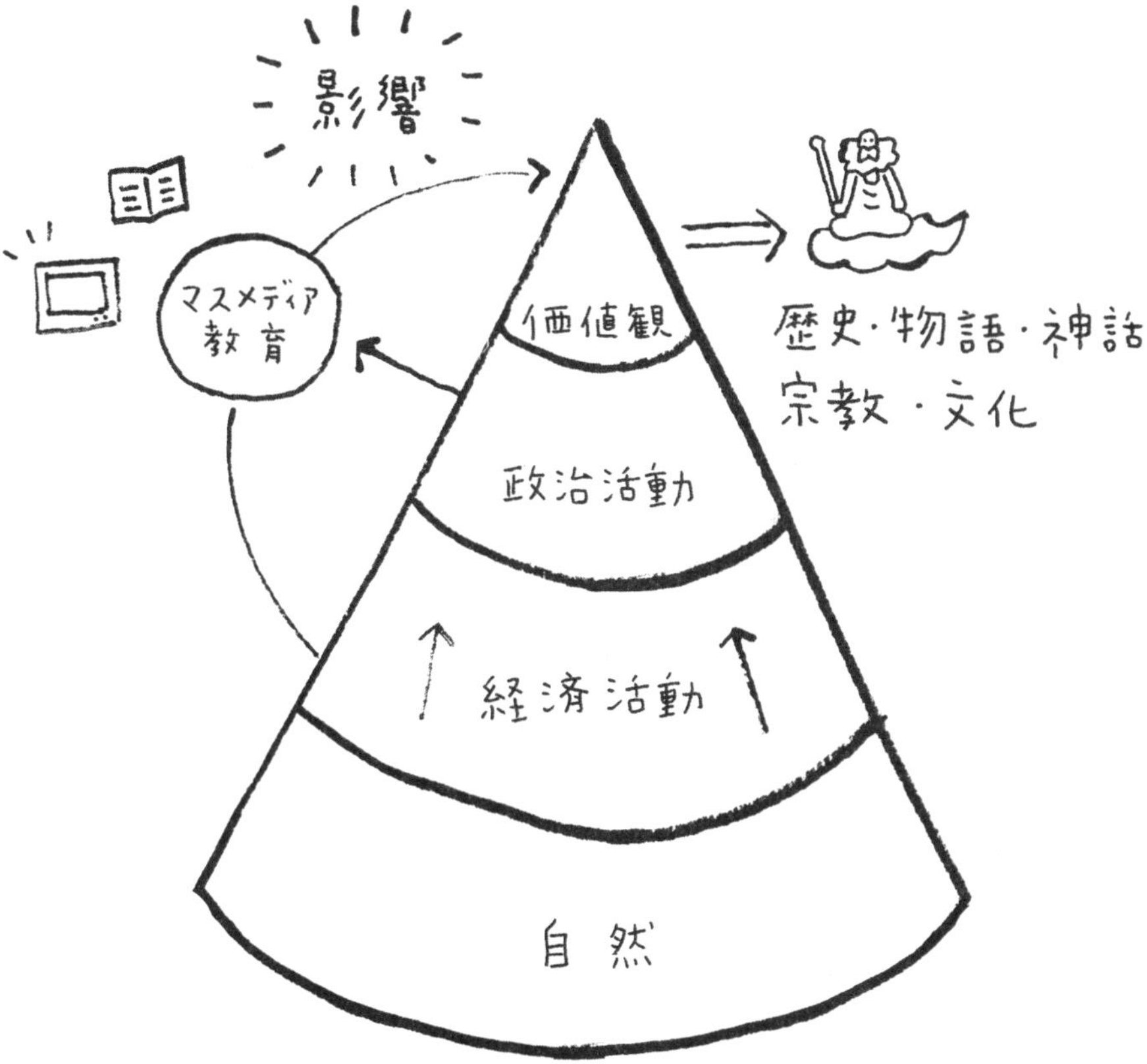

「保守」とは、社会の秩序、社会関係、経済関係を維持しようとする、社会の主流を構成する人たちです。そういう意味では、「保守」の反意語としては「改革」という言葉がピッタリするのではないかと思います。

政治家はよく「改革」ということばを使います。昔の私は、「どうして、この政治家は『改革』することを目的にするのか、社会というのはそんなに『変わらない』といけないものなのか」と疑問に思ったりしたものです。けれど、よく考えてみると、社会環境は技術を中心にダイナミックに変化しています。その中で、社会制度、政府の組織、政治の機能など多くのシステムをこの「変化」に「適合」させていかなければなりません。また、よくいわれることですが、行政を放っておくと必ず大きくなり、非効率になります。それらの意味では、社会は常に「改革」を必要とします。政治家が「改革」を目的とするのはそういうことなのだな、と今は考えています。

話を戻しましょう。

社会の価値観形成に大きな影響力を持つものとして欠かせないのが、新聞、ラジオ、テレビなどのマスメディアです。国営であれば、保守そのものの価値観によって取捨選択された情報が伝えられます。では、民間企業であったらどうでしょう。資本主義社会においては、広告によってそのメディアの収益が確保されているビジネスモデルであれば、保守寄りの価値観に基づいて情報が取捨選択されるのが普通です。

一つには、マスメディアは、社会の第二階層（経済活動）、第三階層（政治活動）に大きな力を持つ企業や経済グループからの広告収入に依存しているので、批判的なことを発信しにくいということがあります。

マスメディアに対するそれらの影響力の大きさには、計り知れないものがあります。たとえば、自動車産業は自動車メーカーの本体だけでなく、部品納入業者から、部品を運ぶ運輸業者、それらの活動に従事する人々の弁当を作る業者、住まいを作る住宅メーカー……などと考えていくと、じつに多くの人がこの産業にかかわっていることがわかります。

政治家もそういう人たちに選ばれるのですから無視できないわけですが、マスメディアもこのような巨大な経済グループからの広告収入に依存している以上、「事故が起こるから安全ではないし、エネルギーの無駄遣いにもなるので、自家用車は減らすべきだ。そのためには自家用車の税金を上げるべきだ（そうすれば自家用車は売れなくなります）」という意見があったとしても、それを発信しにくい状況にあるわけです。

現代は民主主義によって表現の自由は認められているものの、マスメディアの存在を可能にしているさまざまな法律や制度は、社会の保守グループ（政府や関連団体）の考えが強く影響しているように見える局面が多々あります。マスメディアが革新的な意見をいったり体制を批判したりするのはなかなか難しいようです。

マスメディアは社会の価値観形成に大きな影響力を持ちますから、世界のほとんどの国で、外国の資本の参加に関して制限を設けています。また、政権を倒すクーデターが起こった場合には、テレビなどのマスメディアが占拠されますが、これもマスメディアの影響力を確保するためなのです。

まとめると、マスメディアは社会の秩序を維持しようとする保守グループの影響力から逃れることはできず、社会の価値観形成のために保守が利用することも可能なので、社会を大きく変えたいというラジカルな考え方を推進したり、体制を批判するのには自ずと限界があるということです。

しかし一方で、社会が平和であるためには、社会の秩序が必要であり、その秩序を形成する大切な役割をマスメディアが果たしているともいえます。また、あとで書きますが、インターネットの普及は、社会の価値観形成のあり方を根本的に変えてしまいました。

9 社会を変革するのはだれか

四つの階層のコーンを通じて社会の仕組みを説明してきましたが、ここからは、社会の変化について書いていきます。社会はどんなことが起これば変化するのでしょうか。社会を変革するのはどんな人たちなのでしょうか。

二〇〇〇年ごろから、巨額の資金を集めてファンドを作り、放送局を買収して社会を変えよう、お金儲《かねもう》けをしようとする人たちが現れましたが、失敗しました。それは賢くないアプローチでした。

金融は金融制度、放送局は放送免許という制度、つまり、政治的に作られた制度、人造の構築物です。しかも、保守が実力行使できる中枢部分ですから、そこから社会を変えようとすると抵抗され、政治的に追いやられるのではないかと思います。政治的に決められている制度は、政治的に都合よく曲げることができるのです。もし、その方法で社会を変えられるとすれば、その社会の保守よりももっと強い政治力のバックアップがあるときだけだろうと思います。

最も変革する力が強いのは第一階層の「自然」に基づいたもの、つまり科学的な発見や技術です。それらが社会を変えていくのだと思います。この本の最初に書いたように、社会は、技術と社会の「ハンバーガーの弁証法的展開」で変貌《へんぼう》していくのです。

では、すばらしい技術を思いつけば、その人は社会的に成功し、技術は社会に普及し、社会は変貌するのでしょうか。

たとえば、ドラえもんの「どこでもドア」を発明したとしましょう。その技術は普及し、社会は変わり、発明した人は億万長者になるのでしょうか？　たとえば、「不老不死の薬」を発明すれば、技術は普及し、社会は変わり、億万長者になるのでしょうか？　燃料要らずの「永久機関」を発明すれば、技術は普及し、社会は変わり、億万長者になるのでしょうか？

「どこでもドア」は、乗り物関連や運輸関連のすべてのビジネスに大きな影響を与えるでしょう。その経済的インパクトは計り知れない大きさです。「不老不死の薬」も「永久機関」もまったく同じです。

よく考えてみましょう。その発明は実体経済にインパクトを与えます。コーンを思い出してください。実体経済は、ロビー活動を通じて、政治に影響を及ぼし、広告費などのかたちでメディアの収益を支え、ひいては価値観の形成にまで影響力を及ぼしています。つまり、保守のものです。

「どこでもドア」を発明し、「私のほうが優れた技術を持っています。みなさん、そこをどいてください」と言っても、人々がすぐに「すばらしい技術ですね。ぜひ、それで儲《もう》けてください、私たちは別のことをしますから」と譲ってくれるでしょうか？

そこで収入を得て生活をしている多数派の人たちは、これまでの生活を変えたくないので、簡単には道を譲ってくれません。それどころか、発明や発見をした人が進もうとする道を全力で邪魔《じゃま》しようとするでしょう。その行為をとがめる人もいません。

変革とは、だれかを益する代わりに、だれかが損をすることなのです。

実体経済の第二階層から上で構成される社会は人間が政治的に作り上げたも

のですから、多数派の合意があれば、政治的に変化させることはできます。逆に多数派の合意がなければ動きません。善《よ》い悪いではありません。人類はそうやって社会の秩序を維持しながら発展してきたのです。

人間が、天が動いていると信じて疑わなかった時代に、ガリレオ・ガリレイは「地球が回っている」と主張し、宗教裁判にかけられて有罪となり、異端として退《しりぞ》けられました。体制側（保守）にとって都合が悪いことを主張したからです。この例を見てもわかるように、すばらしい技術を思いついたり、新しいことやものを発見したりしたとしても、保守は簡単には受け入れないでしょう。とすれば、社会も変貌しないことになります。

では、社会はどのように変貌するのでしょうか。いったいだれが変革を起こすのでしょうか。

「どこでもドア」を発明した人かもしれませんし、「不老不死の薬」を発明した人かもしれません。保守による強い抵抗を受けて終わることもありますが、抵抗を乗り越えて変革できることもあります。この両者の差は何でしょうか。

それは、保守とどう折り合いをつけていくかにかかっています。その方法は後述しますが、結論としては、社会は、好むと好まざるとにかかわらず、たとえ保守からの強い抵抗があったとしても、長い時間軸で見れば、必ず変化するものなのです。もし、その科学技術が本物であるならば、最初にそれらを普及させ、社会を変えようとする人が失敗したとしても、次、その次、さらにその次と、同じような人が現れ、最後にはだれかが社会を変えることになります。

電気エネルギーには火力、水力、風力、原子力とさまざまな種類がありますが、原子力発電所が大地震による津波で大事故を起こしたことで、「原子力は果たしてどうなのか？」という疑問の声が上がっています。現時点で、有力な代替エネルギーは見出されていませんが、経済的合理性があり、社会全体に利益をもたらす新しいエネルギー技術が開発されれば、時間は多少かかっても、結局は新しいエネルギー技術に変わるはずです。

【増補版追記】

ここまでは技術に基づく社会変革のプロセスについて考えてきましたが、じつはもう一つのルートがあります。

社会を変革しようとする動きを「別の社会」の支援（資金、政治）を得て実行する方法です。

政権を倒すような変革が起きたときには、外国から何らかの支援があった場合が少なくありません。そうでなければ、政権側の強大な力で社会変革の芽は摘《つ》まれてしまいます。戦争では、敵国の政権に対抗する勢力を支援することは当然のように行われます。

個人的には、平和な技術を中心にした社会変革を通して社会が発展することを願っていますが、貿易や市場参入を通して、社会の変革が起こることも必要であるとも思います。それも人類社会が発展してきた歴史の中で大きな要因になっているからです。

10 仕事とは何か

仕事とは、シンプルにいってしまえば、ほかの人の役に立って、または、ほかの人が必要とすることをして報酬《ほうしゅう》を得ることです。

今の子どもたちが社会に出るころには、仕事のあり方が大きく変わっているかもしれません。現在は、職業には専門があり、多くの人々は一つの専門を持っていて、まれに複数の専門を持って、いろいろな分野の仕事があるという状況です。

十年後、二十年後には、インターネットとそれがもたらす教育の革命により、これまでとは比べものにならないくらいに安価にスキルを身につけることができるようになっているでしょう。

学校教育がない時代には、鍛冶屋《かじや》になるには鍛冶屋の倅《せがれ》に生まれるか、徒弟として修業するか、鍛冶屋の娘と結婚（婿入《むこい》り）しなければ、「やり方」を教えてもらえず、鍛冶屋になることはできませんでした。しかし、その後、学校教育が生まれ、学校に行けばだれでも技術を学べるようになりました。

世界中のコンピューターがインターネットによってつながった時代を迎えると、学校に行かなくとも、いろいろなことを学べるようになりました。

そう考えていくと、十年後、二十年後には、組織に属してオフィスに通勤する人たちが減って、自宅や自分のオフィスにいながらにして仕事を引き受け、報酬をもらう形態に大きく変わっているかもしれません。

人の役に立って、また、ほかの人が必要とすることをして報酬を得るためには、大きく四つの要素がそろっている必要があります。それは「個性」と「学習」と「経験」、そして「社会のニーズ」です。

一つめの「個性」について、説明しましょう。

人間には「向き・不向き」「好き・嫌い」が必ずあります。それは本当に些《さ》細《さい》な差かも知れませんが、職業人となってからは、その差がものをいいます。「個性」はどんな個性も絶対的にすばらしく、比較するのも無意味なものです。しかし、社会にとっての「有用性」という視点に立てば、必ずや比較されてしまいます。その比較の中では、「個性」は「才能」と呼ばれます。

たとえば、木から果実をもぐ農作業には、背の高い人が向いているでしょう。一方で、競馬や体操の選手には、背の高い人は向いていないとされるのが一般的です。もちろん、背の高さは関係しない仕事が無数にありますから、「才能」というのはじつにさまざまです。

「好き・嫌い」も、仕事に夢中になって打ち込むためには大切な個性です。好きでなければ仕事が苦痛になるからです。

二つめが「学習」です。ある分野で仕事をして報酬をもらうようになるためには、「やり方」「ノウハウ」「知識」を持っている必要があります。それらを身につける行為を「学習」と呼びます。「教育」と呼ばないのは、「社会から与えられる」ものではなく、自ら主体的に、「やり方」「ノウハウ」「知識」を習得することが大切になる時代になりつつあるからです。

三つめに「経験」があります。「経験」にもいくつかの側面があります。

私は経営コンサルタントの仕事もしてきましたが、コンサルタント業界には「経験曲線」という大切な考え方があります。簡単にいうと、「たくさん経験すればするほど上手になる」ということです。

当たり前といえば当たり前のことだけれども、非常に大切なことを指し示しています。人間には一日二十四時間しかありません。人生は有限です。あまりに多くの分野に手を出すと、どうがんばっても「経験」でほかの人に負けてしまいます。ですから、手を広げすぎるのは得策ではありません。

では、一つだけやればいいのかというと、必ずしも、そうではありません。いろいろな仕事をやったことが「経験」となり、経験してきた仕事を組み合わせた新しいやり方でものを作るなど、不意に活きてくることも多々あるからです。その加減が難しいのですが、それが人生の妙味ともいえます。

最後に「社会のニーズ」について説明します。

私の父は若いころ、通信士になろうと思って学校に行き、夢中で勉強しました。子どものころ、足を痛めて不自由になったのですが、通信士なら負けないだろう、しかもその仕事は好きだし、これならばがんばれると考えたのです。

父が通信士を目指していたころは、「トン・トン・ツー・ツー」というモールス信号を使って遠く離れたところとやりとりをするのが通信士の仕事でした。ところが、父が社会に出て就職し、「さあ、がんばろう」と思ったところ、音声による通信、テレックス、ファックスという技術が普及して、一気に仕事がなくなりました。そこで再び、自分の「個性」と向き合い、「学習」しなおして、まったく別の仕事に就いたのでした。

技術の変革は、一気に職業を消し去ることもあるので注意が必要です。仕事を選ぶときに大切なのは、「社会のニーズ」があること、自分が職業人として生きていくあいだはありつづけそうな業種や職種を選ぶことです。また、「社会のニーズ」が技術革新などで変化したと思ったならば、躊躇《ちゅうちょ》することなく、さっさと新たなスキルを身につけるべく「学習」することです。

まとめます。「個性」を十分に発揮できるような、大きくて深い対象を見つけ、「学習」し、「経験」を積み、「社会のニーズ」に応えるのが仕事なのです。

11 起業家になろうとする君へ

社会は、視点を変えると別のことが見えてきます。コーンを上から見てみることにしました。コーンを上から見ると同心円《どうしんえん》に見えます（図11）。

科学者はつねに「自然」の領域について考えています。科学者が働くのは大学、企業や国の研究所でしょうか。科学が人のために使われるようになると、「技術」になります。その技術を使って、新しい事業を興し、社会を変革していくのが起業家です。

「どこでもドア」や「不老不死の薬」、「永久機関」を作ったとしても、それだけでは保守側からの強い抵抗にあい、社会を変革することはできないと書きましたが、起業家としての才能に恵まれた人は叩《たた》きつぶされることなく、事業を

図11

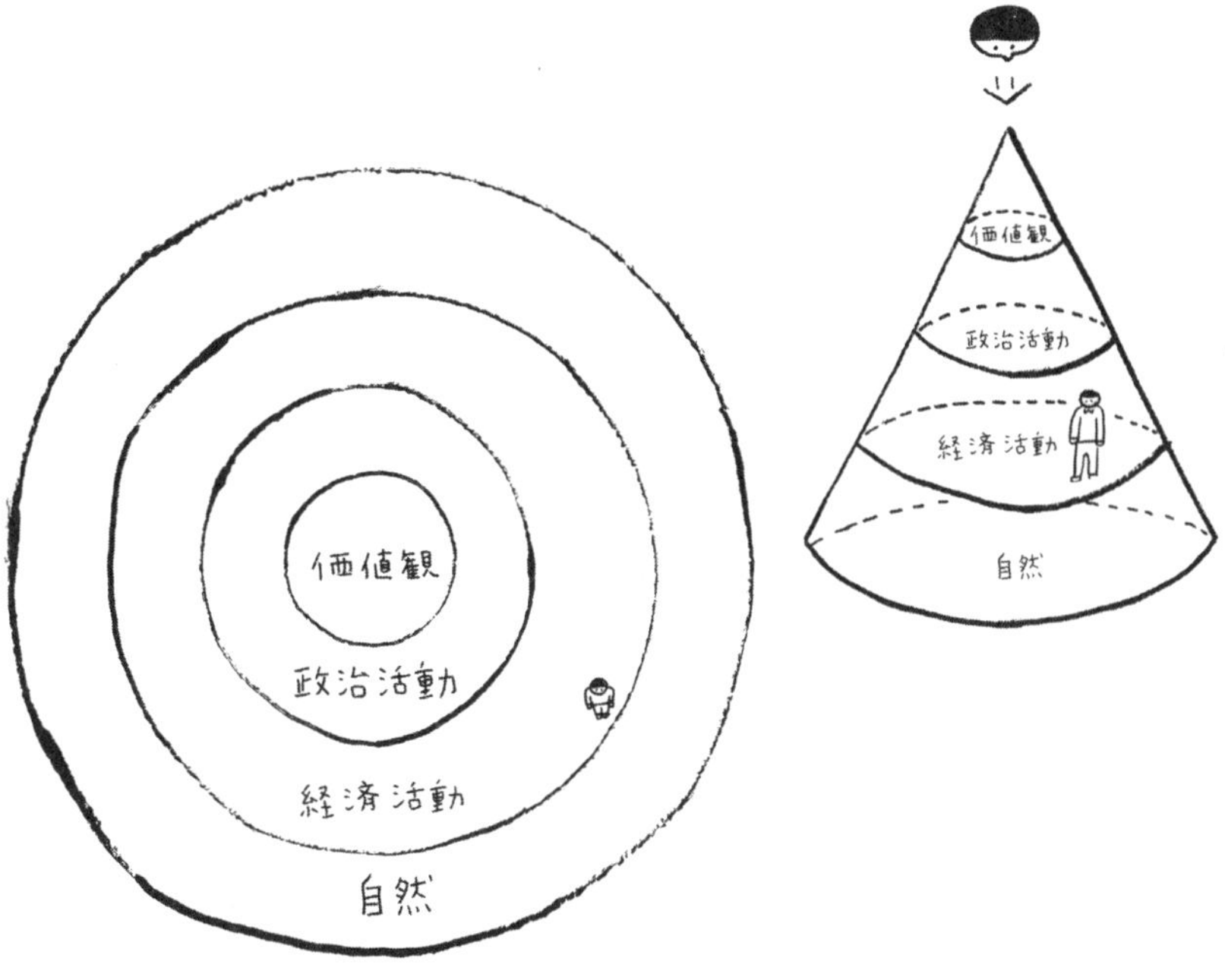

大きく育てることができます。彼らはなぜ、それができるのでしょうか？

多くの成功した起業の経緯を見ていて、共通するパターンに気づきました（図12）。技術や考え方を見つけたあと、メンター（師）や、投資家を紹介してくれるゲートキーパーと呼ばれる人たちに出会うのです。彼らは、起業家が保守に叩きつぶされないよう、社会での行儀を教える役割を果たしています。

若い起業家は、野心満々です。メンターやゲートキーパーはまず、起業家としての素養があるかどうかを見極めます。その上で、自分のビジョンと保守の考え方をすり合わせること、起業家の成功が保守の利益になるような構造を作ることの大切さを教えるのです。

メンターやゲートキーパーの門は多くの人が叩きますから、彼らは出会いには困っていません。彼ら自身はそれなりに成功しているので無理にだれかを応援する必要もありません。つまり、あなたがメンターやゲートキーパーを必要としていても、彼らはあなたを必要としていないのです。

では、彼らとつながるためにはどうすればいいのでしょうか。それは、「社会のために」という大義です。これがあれば、時間がかかったとしても、メンターやゲートキーパーや「保守」の人々と手を結ぶことができ、折り合いがつくでしょう。

メンターやゲートキーパーは、起業家の動機が私利私欲に満ちたものである

図12

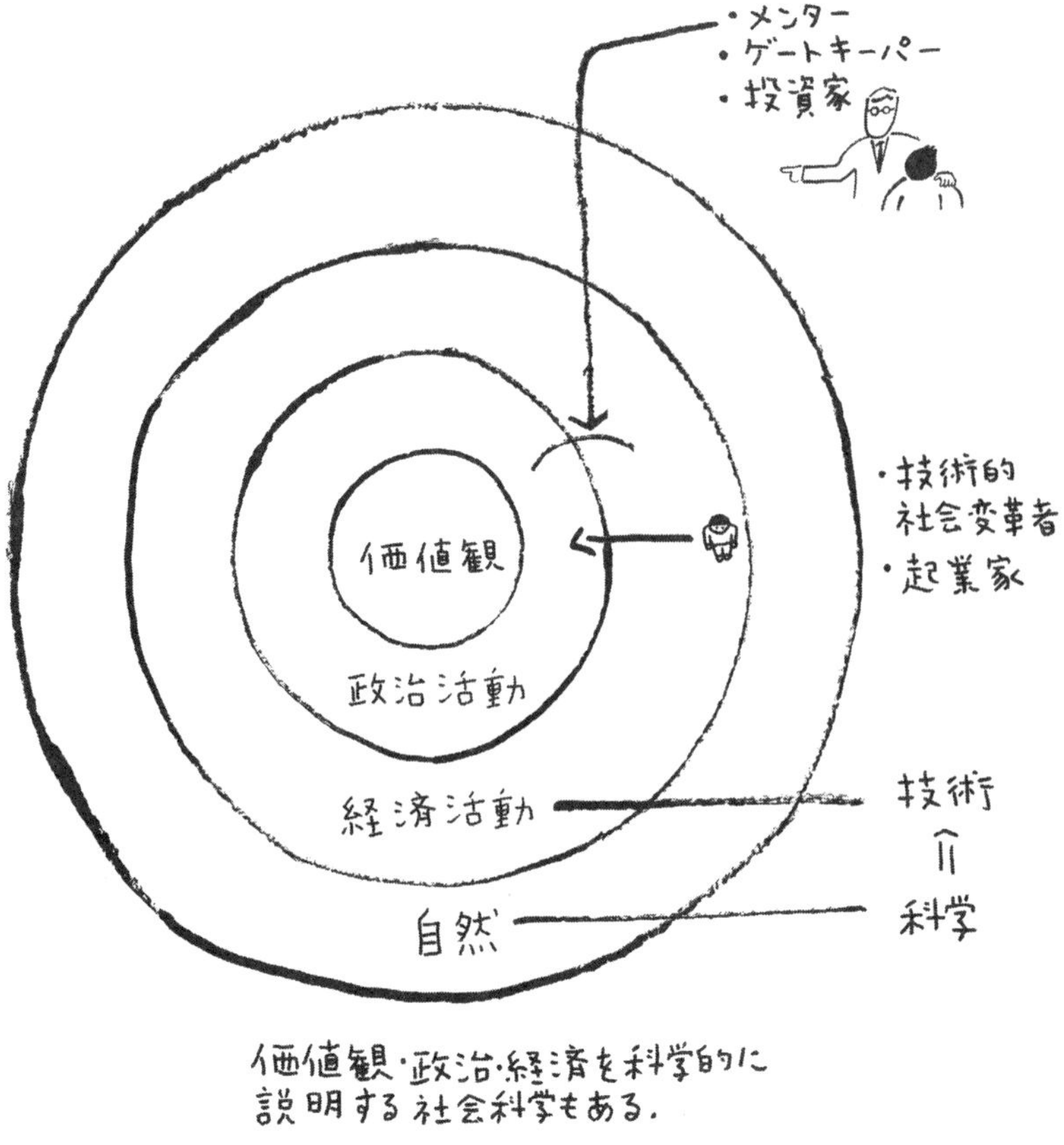

・メンター
・ゲートキーパー
・投資家
・技術的
社会変革者
・起業家
価値観
政治活動
経済活動
技術
⇑
自然
科学
価値観・政治・経済を科学的に
説明する社会科学もある.

か、「社会のために」という大きな志によるものか、厳《きび》しく見ています。

メンターやゲートキーパーは、保守から出資してもらって資本関係を結んだり、保守と業務提携をしたりするなど、起業家の成功が保守の利益になる構造づくりに手を貸します。


「保守との折り合いとは何か」を考えるとき、とても参考になるのがフランチャイズビジネスです。

ブランド、ノウハウ、原材料などを提供するビジネスで、それらを提供された人たちがオーナーとなって店を運営するというものです。一般的にフランチャイズビジネスは、低コストで多店舗展開できることから普及したといわれていますが、隠された別の普及理由に気づきました。

フランチャイズビジネスのほとんどは、不動産と関連するロケーションビジネスです。田舎で、フランチャイズビジネスを始めるケースを考えてみるとわかりやすいでしょう。田舎の人はおおむね保守的で、街の調和を大切にし、人間関係で衝突しない生き方を好みます。

フランチャイズビジネスの対象になるような、一般のお客さん向けのビジネスは、立地のよい不動産を見つけることが非常に大切ですが、街の外から来た人にはよい物件がなかなか見つかりません。そもそも、立地のよい不動産は不動産屋には出ていないことが多いのです。

テナントがビルから出ていく前に、ときには、出ていこうかと考え始めた段階で、そうした情報はその社会の秩序を作っている保守、つまり、その街に長く住んでいる人の中のみで共有されています。よい不動産物件を見つけるためには、この保守の人たちに受け入れてもらう必要があります。

では、どうすれば受け入れてもらえるのでしょうか。

彼らは秩序と調和を好むので、その社会にとって好ましくないもの、たとえば、その街にすでにあるビジネスと競合するようなものは受け入れず、競合しないならば受け入れます。社会には扶助《ふじょ》組織的な機能があるので、仲間に迷惑をかける人を助けるわけにはいかない、と考える人も少なくないでしょう。そして、そうした心情は、新規参入者を無視したり批判したり、あるいは情報を共有しないなどの政治的な動きをもたらします。

保守の強い街でビジネスを起こすには、すでにある同種のビジネスが衣替えする、たとえば青果店がコンビニエンスストアに衣替えする機会などを利用することです。そうすれば、その社会の保守的なネットワークの中でビジネスができ、保守と成功を分かち合うことになります。

これが、フランチャイズビジネスが広まった理由の一つです。つまり、すべてを自分でやるより、成功による果実をその社会の保守的なグループと共有するフランチャイズビジネスのほうが、事業を進めやすいということです。
科学や技術を見つけ、社会やお客さんのために経済活動をするのが起業家の仕事ですが、その仕事を成功させるには、社会の秩序を作っている保守と折り合いをつけるように、そして成功を分かち合うように、と意識することが大切なのです。

起業家にとって大切なのはビジョンであり、社会的大義であり、勇気であり、そして、さまざまなことを高速に試みながら事業を育てる粘りです。成功の果実（報酬）を第一の目的にするのではなく、社会をよい方向へ導くことを目指し、革新を果たした結果として、「せめてこれくらいはくださいよ」という応分の分け前をもらうのだと心しておかなければなりません。

12 科学者、技術者になろうとする君へ

科学者の役割は人間の力の及ばない自然の因果や法則、関係、事実を突き止めることです。技術者はその科学を人と社会のためにどのように使うことができるかを考え、社会で実現するときに力を発揮していくのが仕事です。

新しい科学や技術を生み出す華々《はなばな》しい仕事もありますが、一方で、社会が動き、前進することをサポートするような仕事もあります。たとえば、工場の生産ラインが止まらないようにするとか、大きな機械の一部を作るとか、そういう仕事は目に見えにくいのですが、実体経済を支えている大切な役割です。日々の創意工夫が必要で、重要な仕事です。

図13

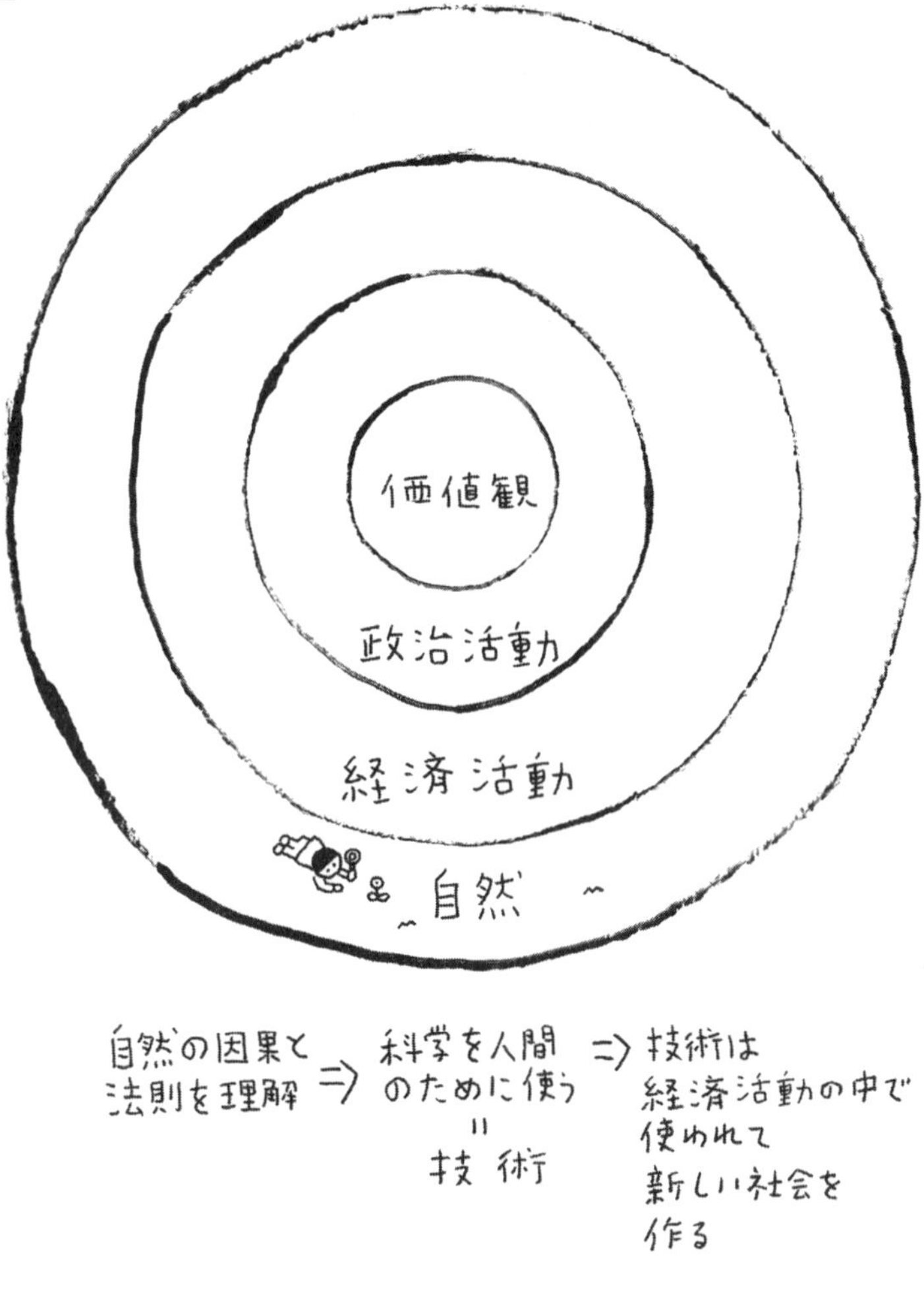
価値観
政治活動
経済活動
自然
自然の因果と法則を理解 ⇒ 科学を人間のために使う ＝ 技術 ⇒ 技術は経済活動の中で使われて新しい社会を作る

科学者や技術者は、専門分野を持っていることにより、ある意味、限定的な役割を期待されることが多いでしょう。しかし、新しい社会を作っていくためには、世の中の原理や仕組みを考えながら、そして社会と折り合いをつけながら、リーダーシップを発揮するか、もしくは、リーダーシップのある人とともに活動していくことになると思います。

科学者や技術者になろうとするならば、自分が社会でどのような役割を担っているのかを強く意識しながら、人生を歩むことになるでしょう。

13 大組織で働こうとする君へ

この原稿を書いている現在、大きなオフィスや工場を所有し、多くの従業員を擁《よう》する大組織があります。そこで働くことで高給と安定が保証されるため、就職先として大人気です。

次の時代には、どうなっているのでしょうか。自宅で仕事をするのが主流になっていて、物理的に大きなオフィスや工場で働くことのほうが珍しいスタイルになっているのでしょうか。

大企業とは何でしょうか。

集団としての価値観、ビジョン、制度、様式があり、そこに所属する人や組織が経済活動上の競争の成果を共有し、資本関係のあるグループ、一言でいえば協働する組織なのだろうと思います。

未来のことはよくわからないので、今の時代の大企業を思い浮かべながら、大組織で働くというのはどういうことなのかを考えてみます。

既得権益を持ってビジネスを展開し、政治に影響力を持ち、マスメディアなどのスポンサーとなって社会の価値観に影響を与えるのが大企業です。少し乱暴かもしれませんが、役所もほとんど同じように考えてもいいと思います。大組織で働くということは、社会秩序を維持する側、つまり保守の側の仕事をするわけです。

経営上の競争は、①製品の差別化、②価格競争、③政治的に影響力を行使する……の三つしかないといわれていますが、とくに三つめの「政治的に影響力を行使する」は非常に重要です。法律や規制をたくみに利用して、ライバルが参入できない状態にして独占を目指すか、あるいはライバルが競争しにくいように工作するのです。

「四つの階層のコーン」で書いた「池の魚」で説明すると、こうなります。「ほかの池は汚染されていて、そこで獲れた魚を食べてはいけない」などと喧《けん》伝《でん》すれば、漁業組合を作って独占している自分の池だけの一人勝ちとなり、周辺の市場をまるごと押さえてしまうことができます。

ここに、ルールを作る側の政府との癒着《ゆちゃく》、政府の権限の肥大化という問題が出てきますが、そうなってしまうのも当然です。秩序を求める保守が作る必要悪のようなものであり、文句を言うくらいでは、変わることはないでしょう。

しかし、「それでも、地球は回っている」と言ったガリレオ・ガリレイのあと、社会の秩序を作る保守がどんな抵抗をしてもそれは一時的なもので、結局は変化したように、もし、それが科学に裏づけされた技術によるものなら、時間の問題です。社会は否応なく、いつか、その技術を受け入れた新しいかたちに変わらざるをえなくなるでしょう。

また現代は、国家や都市などの社会共同体同士で競争があるので、自らの社会秩序を維持することだけにこだわっているわけにもいきませんから、変貌《へんぼう》のスピードも速くなります。

大企業も役所も、そういう意味では変わらなければならないでしょう。新しい技術を育てるとともに、新しい社会環境に適応し、よりよい社会を作っていかなければならないのです。

しかし残念ながら、大企業にせよ、役所にせよ、組織で働くということは、与えられた仕事をすることが主で、新しい試みを求められることは少ない傾向にあります。それはそうです。みなが好き勝手なことをしていると統制がとれなくなり、組織が組織でなくなります。

それゆえ、大企業や役所などの大組織は、新しい技術やアイデアを試す場としては不向きです。さらに、組織を維持するために作られた制度や意思決定のシステムは、新しい技術やアイデアを試すことを難しくしている場合が少なくありません。

起業家は新しい技術やアイデアを世に出すために、社会を観察しながら、社会のニーズにマッチするように、次々と矢継《やつ》ぎ早《ばや》に手を打ち、行動していくのが身上《しんじょう》です。しかし、起業家は何をゴールとしているのでしょうか。会社の株式を公開して会社を社会の公器とするか、大きな会社に買収してもらい、大きな会社の一部となることでしょうか。だとすれば、最終的には社会の保守に組み入れられることになります。

大企業や役所などの大組織で働こうとするならば、すばらしい技術、ビジョン、行動力などの才能にあふれる起業家を見つけたら、彼らをつぶそうとするのではなく、彼らを育て、彼らが世に出ていくのを応援してほしいと思います。彼らと力を合わせてよりよい新社会を作っていくことが、大組織で働く人の役割ではないでしょうか。

起業家は大きなリスクをとり、失敗の可能性をも覚悟して挑んでいるのですから、それに見合う報酬がその起業家にもたらされるよう、心がけなければなりません。そうしなければ、リスクをとって新しいことをやろうとする人がいなくなり、社会は不活性化します。

一つの企業、一つの役所など、一つの大きな組織も、コーンで示してきた社会と相似の構造を持っています。

組織の中で保守ではない側にいて、組織を活性化させる役目を担っているのだとすれば、理解ある保守の人、ビジョンを共有してもらえる保守の人を味方につけることが重要です。

保守の側にいる場合は、保守の外にいる人の視点、技術、行動力を活かすように心がけてほしいと思います。彼らこそ、新しい社会に向かって、組織を推進させる力なのです。

大きな組織の中のメインストリームにいない場合、コーンを上から見た同心円（図13）の外側、つまり自然に近いところにいますから、組織が当然の前提にしている制度などの非効率性や問題が見えやすくなります。それを意識して学び、力を発揮するチャンスをじっと待ってください。日本の財界のリーダーとなった人たちには、意外とこのようなパターンが多いものです。

14 教育、メディア、宗教で働こうとする君へ

教育は、進化を続ける社会で活躍する人材を作り、技術を普及させ、出会いを作ります。同じ志、同じ夢、同じ課題を持ち、そのために学ぼうとする人同士の出会いもあるでしょうし、異質な人との出会い――多様性を学び、自分自身の個性を理解するような出会い――もあるだろうと思います。

現在の学校教育は、二十年後にはなくなっているかもしれません。

知識や技術、ハウツーだけなら、インターネットを通じてほぼすべてのことが学べるようになっていくでしょうが、そんな時代が来ても、教育には大切な

役割があります。教育とメディア、宗教を並べて書いたのは、この三つが、社会の価値観に大きな影響を及ぼすからです。

価値観の中で最も大切なのは、何が善《よ》い行いで何が悪い行いかの基準である倫理観です。そして、どんな社会を作るのかというビジョンだと思います。社会のビジョンなどというものを果たして教えられるのかどうかはわかりませんが、少なくとも次の世代は、教えられたことを栄養分にしてビジョンを考えるのですから、責任は重大です。

宗教は、二十年後にはどのようになっているのでしょうか。

一般社会を受け入れず、むしろ対抗する原理主義的な態度で自らの宗教に入り込んでいる人々は世界に少なからずいますが、潮流としては、「神は存在するのかどうかわからない」という不可知論《ふかち》で考える人々がどんどん増えているように思います。

不可知論者が増えているからか、それとも大人になったからかはわかりませんが、私が子どものころに叱られるときによく言われた「罰が当たる」という感覚が薄らいでいます。

「罰が当たる」とは、論理を超えた何か大きな力に罰せられるということなのだと思いますが、「悪いことをすると何か大きな力に罰せられる」という感覚が薄らぐと、どうなるでしょうか。社会全体で共有される倫理観としての道徳、また、倫理観の手本としての倫理的規範を理屈で説くことになります。ですから、現代においては、道徳や倫理的規範を理屈で考えなければならなくなっています。

一方、資本主義の社会では、社会の中で経済活動をして収入を得て生きていくことは、基本的には個人の責任です。個人が知恵を絞り、あらゆる資源を活用して、競争しながら個性をフルに発揮し、がんばることが、社会全体としては好ましいと考えるからです。

この資本主義のプレッシャーは、私たちに損得勘定で行動することを強く要求します。損になる行動はできるだけ避け、できるだけ得になる行動をとろう、となるわけです。この動き方は、あるべき姿（理想）、やるべきこと（ビジョン）をもとにとる行動とは、相容《あいい》れないところがあります。

つまり、これからの人間は、不可知論的感覚を持ちながら、「損得勘定」主義を個人に要求する資本主義の中で、理屈によって築かれる道徳観なり、倫理観を持つ必要が出てきますが、これは簡単なことではありません。だからこそ、前述したように、起業家の資質として「社会のために」という態度が求められるのです。

私が、教育、メディア、宗教に携わろうとする君に、ことさらに力説し、知っておいてほしいのは、これからはこれらの役割がいっそう重要になってくるということです。

社会を変革しようとする起業家も、大きな組織で働く組織人も、彼らが見つめるのは、損得だけではなく、あるべき人間と社会の姿、社会ビジョンでなければならないということ、また、その社会ビジョンの実現こそ大きな成功を経済的にもたらす可能性があるということ、倫理観を持たなければならないこと——教育、メディア、宗教で働く人の役割は、人々にそのように説くことだと思います。単に知識や情報を教えたり、伝えたりするだけでは不十分なのです。

15 政治家になろうとする君へ（1）

一九九五年から二十年ほどで、世界が約一世紀分以上変わったといわれています。インターネットの普及以降、一年がそれまでの五年とか七年に相当するスピードで変わるようになり、成長する速度が人間に比べて速い犬になぞらえて「ドッグイヤー」といわれました。

これからの二十年はどうなるでしょうか。ドッグイヤーではなくて、蟻《あり》の一年間、「アントイヤー」かもしれません。アントイヤーだと一年間が何年分になるのかはわかりませんが、歴史の教科書の数世紀分は一気に変わってしまうだろうと思います。

インターネットは自然の一部なのでしょうか。それとも人造の構築物なのでしょうか。

国によっては政治的にインターネットへのアクセスをコントロールしていますが、多くの国ではコントロールしていません。つまり、インターネットには、政治的に介入できない自然の力強さ、荒々しさを感じます。今はコントロールできている国でも、インターネットの波に飲まれてしまうのは時間の問題であるように思います。

最も政治的といえる活動は、情報のコントロールや情報の遮断だろうと思います。

ここでもう一度、コーンを描きます（図14）。社会の秩序を作っている保守は既得権益を握っています。それらの既得権益については、「神さまが決めたことだ」とか、いろいろな説明による正当化が試みられてきましたが、現在は、「社会の人々が決めることだ」と考える民主主義が一般的です。

高度情報化社会では、ほぼすべての情報が見えてしまいますから、持つ者と持たざる者、既得権益の恩恵に浴する者と浴さない者の差が白日《はくじつ》の下《もと》にさらされます。

その差が極端に大きかったり、大勢の人々の生活が極端に貧しかったりする

図14

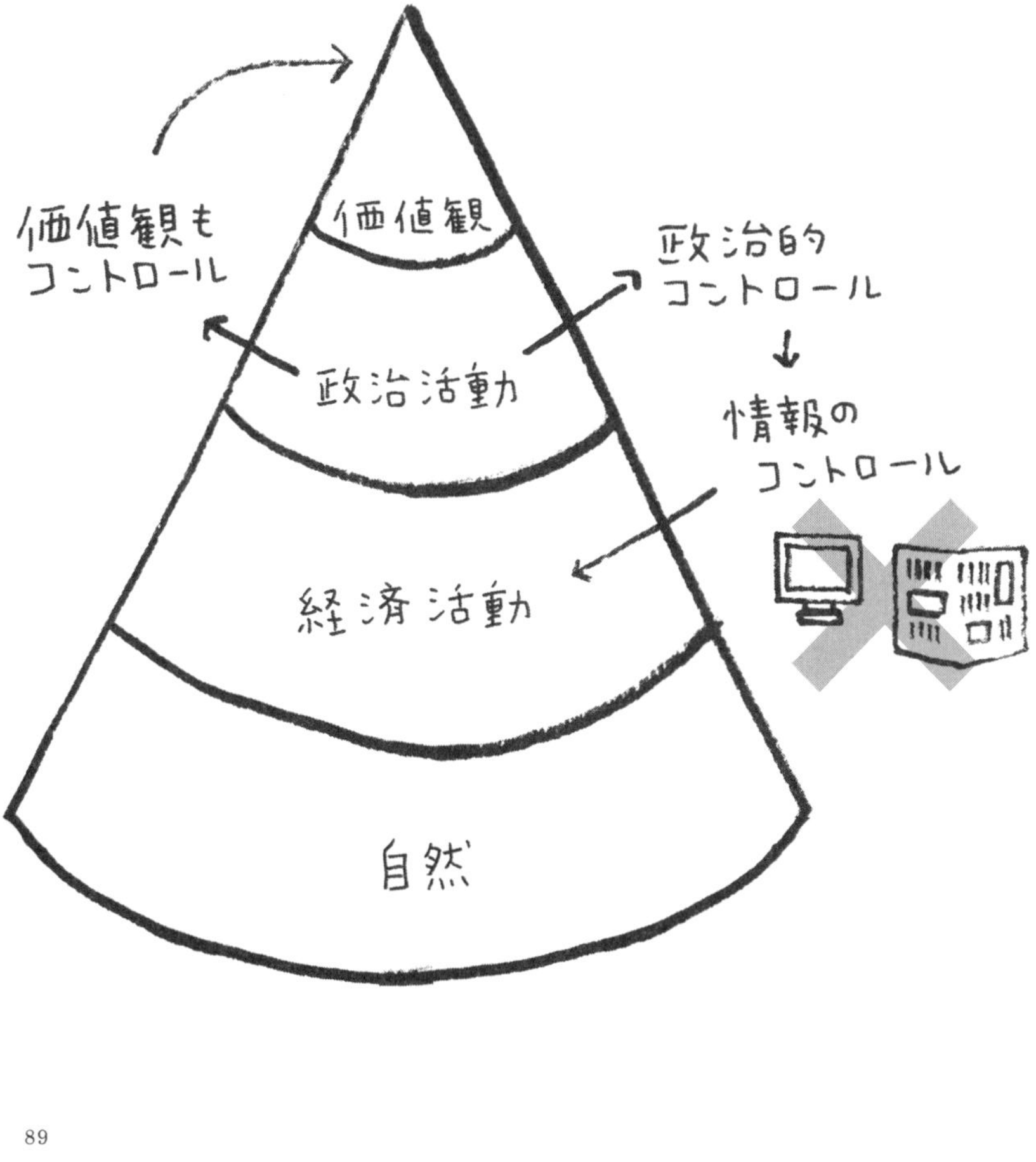

と、民衆は納得することができず、クーデターなどを起こし、政権を倒すなどの行動にでます。

しかし実際は、民衆が蜂起《ほうき》して、新たに政府をゼロから作るということはなく、既存のグループがとって代わることが多いですし、海外の援助を受けている場合もあります。ところが、インターネットの到来は、持つ者と持たざる者の違いを赤裸々にさらすことで民衆の心に火をつけ、彼らが行動することを後押ししているように思います。

高度情報化による社会の急速な変化は、技術が人造の構築物である社会を根こそぎ変えようとするわかりやすい事例だと思います。


インターネットによる高度情報化の波に最も大きな影響を受けるのが、マスメディアです。マスメディアは大なり小なり、社会秩序を作る保守の影響を無視することはできなかったのですが、インターネットの到来は保守の考えとは異なる意見や情報が行き交うことを可能にしました。

このことは社会のあり方を根底から変え、「世界が一つの社会」を実現させるための、大きな役割を果たすようになると思います。そのような社会においては政治家は、新しいコミュニケーションの方法を身につける必要があるでしょう。

本質的に政治家は、既存の勢力グループである保守によって支えられているのですが、ほかの社会と競争していくためには、社会変革者である起業家の存在が必要です。

政治家には、支持基盤である保守の言いなりにならずに、起業家が生まれてくるような土壌を作り、維持する責任があります。研究の科学的・技術的成果を保守である企業に独占させず、技術の展開スピードの速い起業家にチャンスを与えることも必要です。

社会の経済的競争力の源泉である技術と人材は、どちらも教育の産物です。すべての政治家は、教育の分野に詳しくなくても、新しい社会環境や技術環境の変化を見据《みす》えながら、「教育はどうあるべきか」をつねに問い続けなければなりません。

こうしたことを行動に移し、実現させるためには、優れたビジョンと強い倫理感、使命感が必要です。加えて、情報化された社会に適したコミュニケーションスキルを身につけていること。それが、政治家に求められる資質だと思います。

16 政治家になろうとする君へ（2）

ここまでは一つの社会について考えてきました。これから複数の社会について考えてみたいと思います。二つの場合があります。

一つは図15のように、二つの社会が離れて存在している場合です。多くの社会は、山、川、谷、海などの自然環境によって隔てられています。

一つの社会から別の社会に越境していくのは、どういう人でしょうか。

ある社会の保守の中にいる人が、その社会を飛び出して別の社会に行くとしたら、変わり者といえるでしょう。保守の中にいれば、その社会では既得権益

図15

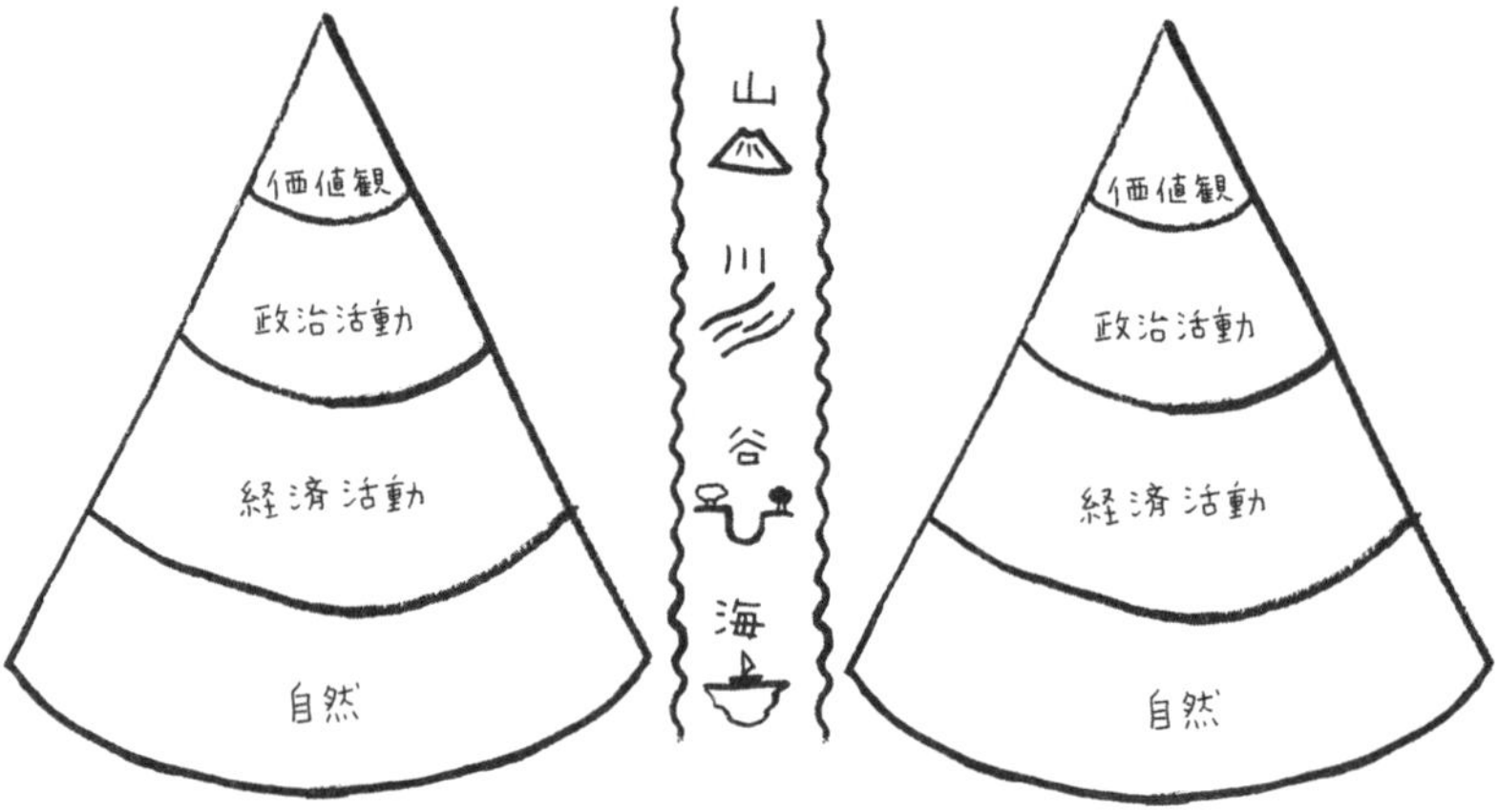

に恵まれ、不遇な経験をすることもないからです。しかし、そういう人がいないこともありません。

ある社会で保守の中に居続けながら、別の社会に入っていく人もいます。大企業や政府に所属して、海外に赴任するケースがこれにあたります。

どこの社会にも保守となる基盤を持たず、離散している民族の例もあります。彼らの多くは図16のように複数の社会に点在しながらほかの社会にいる仲間と情報を交換し、ビジネスをしていくことが多いのではないかと思います。

ほかの社会に入っていくプロセスは、起業家が一つの社会の中で成功していくときのモデルに似ています。両者とも、入ろうとする社会と利益を共有し、その社会の保守の信認をとりつけます。異なる点は、社会の保守である大きな組織から送り出された場合は、その社会から、資金や情報などのサポートを受けられるということでしょう。そのメリットは起業家にはないのが普通です。

二つ以上の社会が存在する場合には、もう一つ別のかたちがあります。図17のコーンのように、一つの社会がさらに大きな社会に内包されている場合です（重構造社会）。わかりやすいイメージでいうと、日本という国と県などの地方自治体の関係です。日本という国の価値観や政治制度、実体経済、自然環境としては一つの塊《かたまり》ですが、その中に、東京や京都、大阪や名古屋、福岡

図16

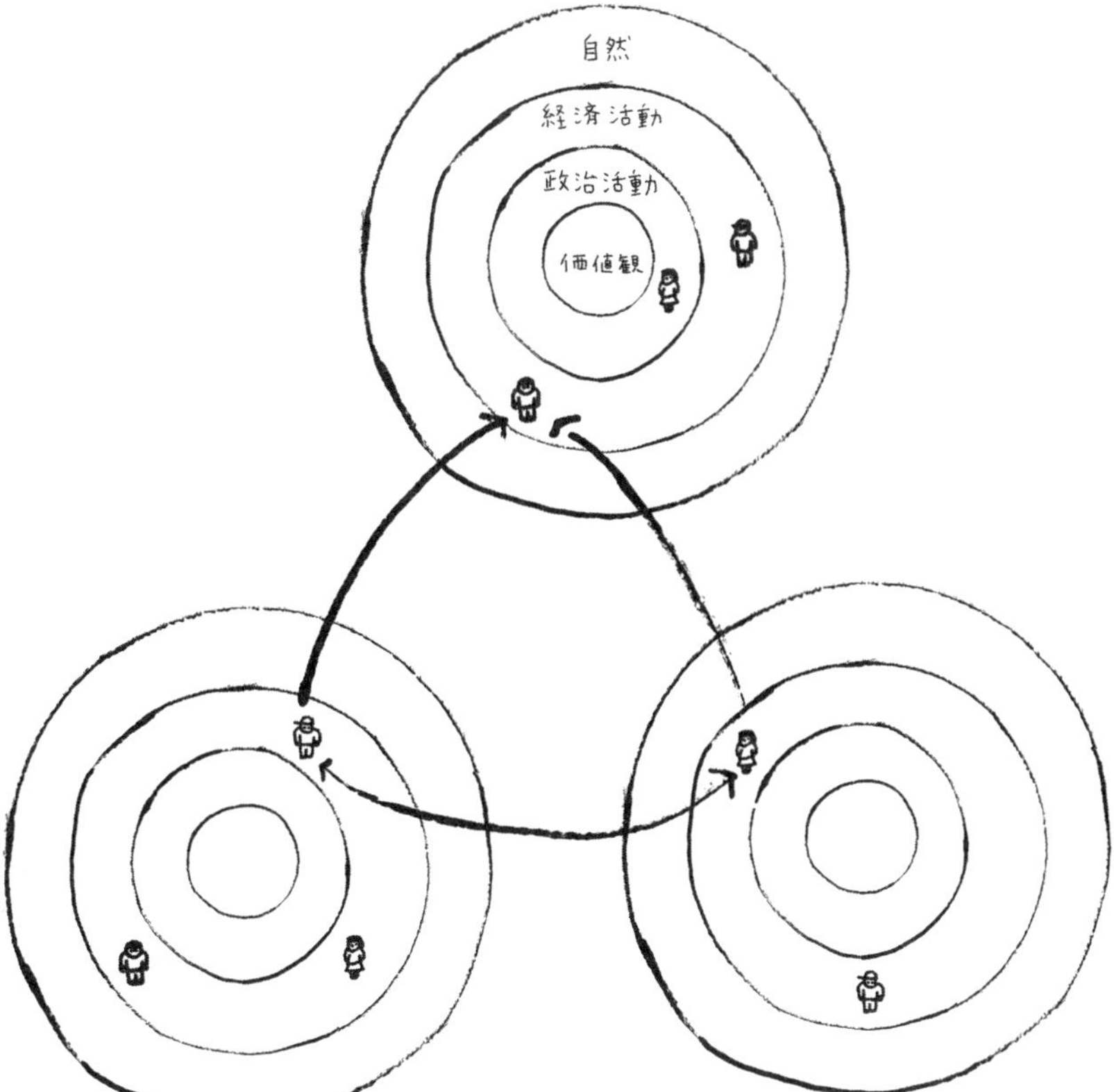

などが含まれています。

共通の基盤と地域を固有のものとして持っている社会が、大きな社会の中に存在しているのです。

もう少し大きな視点で見れば、国と国の関係も同様です。見方によっては二つの社会が別々にあるように理解できますが、大きな一つの社会の中に、小さな社会があると考えることもできます。

これはどういう意味を持つのでしょうか？

たとえばA国の覇権《はけん》世界（支配圏、または強い影響力を及ぼす範囲）の中に、B国の社会が存在しています。A国の持っている大きな意味での価値観や政治構造、経済構造の枠組みの中に、B国固有の枠組みが存在しているということになります。

図18のように、別の社会として存在していると理解することもできます。大きな社会であるA国が、覇権国家として同質化を拡大しようとしているとします。政治的にルールを変えることを要求して、社会のありようを変えるのです。

同質化した社会は参入しやすい市場になります。ビジネス、つまり実体経済は各種の法律や制度のルールで縛られていますから、そこが同質化されるとビジネスを展開しやすくなるのです。

図17

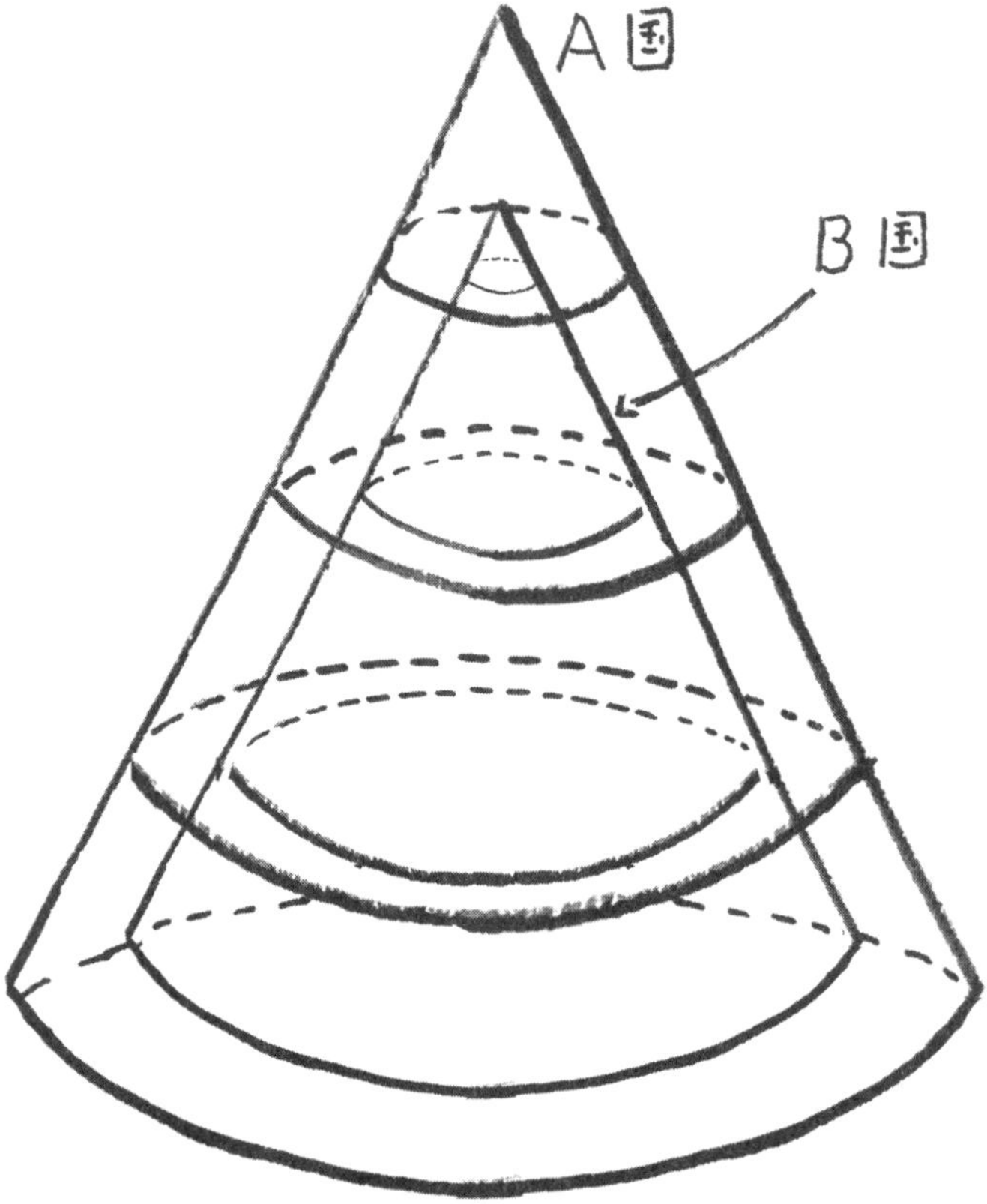

重構造社会

B国から見れば、A国やA国と同質化している地域でのビジネスはしやすくなりますが、一方で、A国がB国の市場に攻め入ってもきます。どちらがB国の社会にとってメリットがあるのかを見極め、また、同質化するにしても、同質化する部分としない部分を決めるのは、政治的判断や外交力にゆだねられることになります。

外交における政治家は、国内の実体経済が作る政治的勢力の声を聞き、調整しながら交渉していくわけで、大きな責任を伴う仕事になります。

もう一つ、重構造の大きなほうの社会に政治家としているのなら、小さな社会に存在する市場に着目する必要があります。相手が持つ市場の大きさは、産業の競争力に多大な影響を与えます。「仕事とは何か」で言及した「経験曲線」を思い出してください。

少し詳しく説明すると、人間の経験と学習が大きな役割を果たす工業を中心として、「累積生産量が倍になると、コストが二〜三割下がる」といわれていますが、この現象が「経験曲線」です。

一方で、似ているように思えてじつは異なる考え方に「規模の経済」があります。「規模の経済」は、生産規模や生産量が多くなればなるほど、固定費（生産規模や生産量に関係なく同じようにかかる費用）が分散されて製品単位

図18

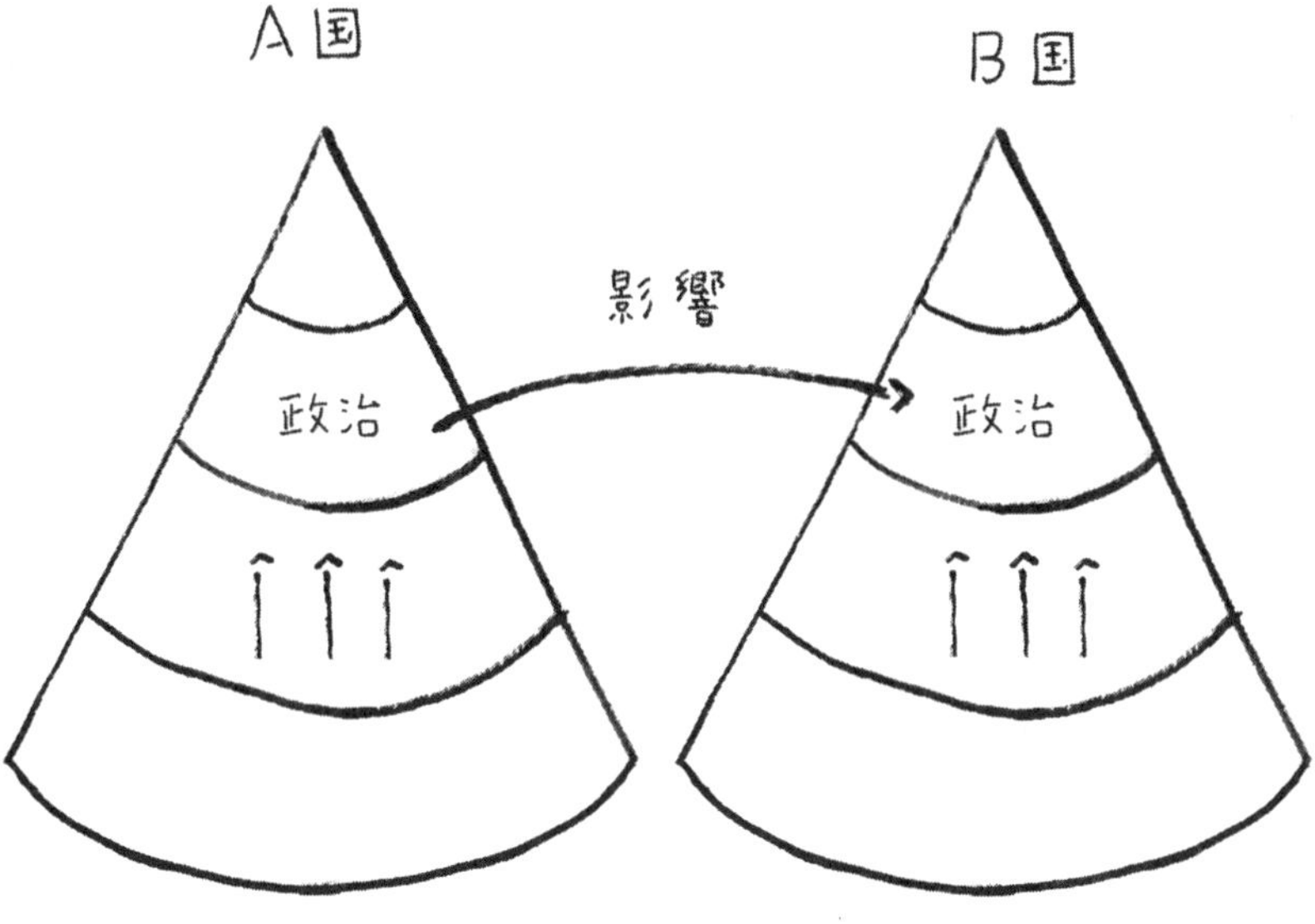

あたりの平均コストが減少し、競争上有利になる効果を指します。

「経験曲線」と「規模の経済」という二つの異なる法則には、それらが適用できる場合とできない場合があります。産業の特性も加味しなければならなかったりするので簡単にいつもそうだとはいえないのですが、乱暴を承知でわかりやすくいえば、ビジネスのサイズが大きくなれば、「強いものはいっそう強く、弱いものはいっそう弱くなる」ことがコスト面においてはっきりと出てくるということです。

大国の産業は、大きな市場に向けた大量生産をすでに展開しています。小国の市場を同質化できれば、価格競争力で圧倒的に有利な状況を実現できる可能性があります。

小国からすると、価格競争力で圧倒的に不利な状況になってしまう可能性を覚悟で大国と同じ市場を目指し同質化するか、それとも、各種規制を残し、市場の独自性によって、自国産業を守るのかという選択肢を突きつけられます。

外交を担当する政治家は、自らの存立基盤となる保守グループと相談しながら、これらの交渉を諸外国とすることになります。

大国同士であっても、他国の市場を同質化するかどうかは産業政策と外交上の重要問題であり、交渉をすることで、同質化されるまでの時間を稼ぎながら、そのあいだに産業を育て、競争力を向上させようとする戦略的な駆け引きも行われます。

今の子どもたちが大人になるころには、アジアであったり、大国の覇権世界であったり、いやもっと広い世界で大きな議会ができて、ルール作りをしているのかもしれません。

社会には、村、町、市、県、国などいろいろな行政区分がありますが、どういう行政区分で仕事をするにせよ、政治家の仕事は、社会的な資源の分配について、利害を調節しながら、社会の価値観に従い、意思決定を行うことです。

どんな時代であっても、政治家の仕事で大切なことは、社会の人々を食べさせ、教育し、産業を興し、その社会の競争力を維持することです。

人間もしくは社会がなしうる最大の罪に戦争がありますが、戦争の真の原因は多くの場合、その経済基盤に関係のある社会と社会の争いや、政治が経済に対する不満のはけ口を戦争に求めるためではないかと思います。

戦争は、「相手の社会」を「異質視」「特別視」することから始まります。そして必ず、相手の人間的な部分を捨象《しゃしょう》し、憎みやすく、殺しやすく、戦争をしやすくなるように、政治なりメディアなりが相手をステレオタイプ化します。そういうステレオタイプ化を感じたら、「私は本当に相手のことを理解しているだろうか。相手のことをどのくらい知っているだろうか。政治家だけでなく、国民はどうなのだろうか」と考えたいものです。

そして、「相手の社会」の「自然」から「経済活動」「政治活動」「価値観」まで、徹底的に考察し、構造的に深く理解することに努めることが、戦争を回避するためには必要であると思います。

「相手の社会」を「異質視」「特別視」するのは、自信のなさ、焦りの表れです。そうすることによって、自らを鼓舞し、プライドを維持しようとしているのです。

若い君には、「自分の社会」についても「相手の社会」にしたのと同じように、徹底的に考察し、構造的に深く理解することに努めてほしい。そうすれば、戦争をしなくてすむための解決の糸口が必ず見えてくる、そして、社会の抱える根源的問題も見えてくると思います。

これまで社会は、それぞれの物語、宗教、文化、価値観を持ち、「自分たちは違うのだ」という認識、「差異」に基づく認識をどこかに持ち、それによって社会を束ねてきました。しかし、その「差異」の根源を、民族性や物語、宗教、文化、価値観に求めるのではなく、自然から発生した「個性」にすぎないととらえることもできます。政治家になろうとする君には、人類それぞれの「個性」を尊重し大切にしながらも、「同質性」にこそアクセントを置いて理解し、「同質性に根ざした大きな地球」という「社会」を作ってほしいと思います。

地球が大きな社会となり、その大きなコーンの中に、小さいけれど、個性豊かな社会（コーン）がたくさん内包されるような世界はどうすればできるのか、いずれ世界が地域の多様性を認める大きなコーンになるとしたら、現在はどの局面にいて、どこが同質で、どこが異質なのか。どこを今の局面で共有すべきなのか。政治家になろうとするなら、相手の社会で暮らす人々の顔や生活が見えるくらいに徹底的に理解することに努めてください。

17 世界で一番のトマト

社会の中で、個人は何を指針に人生を送ればいいのか。大切なのは「個性を活かす」ことだと私は考えます。

社会がどのくらい自由主義的かということは、時代によって変わると思いますが、時代の趨勢《すうせい》は社会主義的、計画経済的な方向に大きく振れていくことはないような気がします。すでに書いたように、社会主義的、計画経済的なやり方だと、社会の計画を立てる人が、各個人の「個性」を正確に理解し、把握することは、現在の科学技術では非常に難しいからです。

市場経済が直面するさまざまな問題に、社会はさまざまな方法で対処することを迫られるでしょうが、自由競争の社会は根本的にはなくならないだろうと思います。

経営学の教科書は「世界一になれないことはやめなさい。世界一になれそうなことだけをやりなさい」と説きますが、この考え方は、何らかの価値基準に基づいています。

大切なことは、その基準を自分の外に求めないことです。客観的視点で自分の個性を確認するために、「社会的な評価」「社会に存在する価値基準」を活用するのはいいことです。ただし、他人の評価に振り回されてはいけません。それらの基準を使って、評価するのは自分自身です。

では、何によって「世界一になる」のでしょうか。それは、自分の個性を活かし、極めることによって実現します。

何のために「自分の個性を活かす」のかというと、「社会」や家族、愛する人たちに「尽くす」ためです。だから私たちは、自分の個性を見つけ出し、何に対してだったら、最も自分らしく「尽くす」ことができるのか、考えるべきだと思います。

そして、「世界一の自分」になるのです。

そこに、幸せな生き方への手がかりがあるように思います。

世の中は、そちらの方向へ進んでいるように思えますが、二十年後、三十年後にはどうなっているのでしょう……。

最後に、「世界で一番のトマト」という物語を紹介します。

夏休み、小学二年生の健司は九州のおばあちゃんの家に遊びに出かけました。健司は、おばあちゃんが家の裏の畑からもいできたトマトに砂糖をかけ、ほおばりました。するとそのトマトは、これまでに経験したことがないおいしさで、その場で飛び上がりたくなるほどでした。

健司はそれをきっかけに、「世界で一番のトマトを食べること」を生涯の目標にします。

小学校、中学校、高校、大学と真面目に勉強し、大学院でもトマトの研究をしました。やがて研究者となり、「世界で一番のトマト」を求めて世界中を旅するようになりました。

五十歳になった健司は、とうとう「世界で一番のトマト」を見つけます。それまでの研究から、そのトマトが世界で一番であることはどうやら間違いないようですが、それを確かめるためにはそのトマトを丸ごと食べなければなりません。

健司はあることに気づきます。それが本当に「世界で一番のトマト」であったとしても、食べてしまったら、だれにも説明できないし、理解してももらえません。しかも、トマトが最もおいしいのは、もいでからほんの数時間だけです。

健司は、しばらくじっとそのトマトを見つめたあと、ゴクリとつばを飲みこみ、おもむろに手に取ってガブリと食べたのでした。

「世界で一番のトマト」の物語は、ここで終わります。

ところで、あなたの「世界で一番のトマト」は何ですか？

補遺1
技術はどのように生まれ、浸透するか

私の考える「社会原理」は、社会を自然、経済活動、政治活動、価値観という四つの階層で理解しようとするものです。これは「技術史観」といわれ、技術と社会が弁証法的展開をしながら新しい社会を作るという考え方です。

二〇一四年に「社会原理」の序説を初めて書いて以来、この弁証法的展開のプロセスについて考えてきましたが、今日に至る六年で新たに思い至ったこと、気づいたことがいくつかあります。補遺としてそれらを紹介したいと思います。

四つの階層のコーンを思い描きながら、読み進めてください。

まず、技術の発生プロセスについてより詳しく考えてみました。

技術は、科学が目的を持ったときに誕生します。科学は何かというと、森羅《しんら》万象《ばんしょう》を因果と法則で理解し、事実を認識しようというものです。そして科学は、自然と人間社会が対峙《たいじ》することで生まれます。人間が自然に触れ、観察することから科学は始まるのです。

一行で表すと、次のようになります。

自然 vs 人間社会（経済活動＋政治活動＋価値観）

異文化に触れると、自分の価値体系とは異なる社会にさらされます。それによって、自分の文化の中だけにとどまっていては気づかない森羅万象の因果や法則、事実に気づくこともありますが、それだけでは技術は誕生しません。基本的には、科学が目的を持ったときに初めて誕生するのです。

自然の因果や法則は、人間がそれらを発見する以前から存在しており、人間によって「発見」され、「認識」されるものです。その認識が科学です。

いいかえれば、科学には「人間が発見した部分」と「未発見の部分」がありますが、発見されていようがいまいが、自然の因果や法則は太古より変わらずに存在しているということです。

つまり、因果や法則には「変化」はなく、変化のスピードは「ゼロ」です。科学の法則に「万有引力の法則」があります。この法則はニュートンがりんごの実が落ちるのを見て気づくずっと以前より、地球が存在する以前より、存在していました。そして、これからもずっと変化することなく存在し続けます。

人間が何をしようが、因果や法則は変化しないわけですから、当然のことながら、自然は人間が抗《あらが》うことのできない強大なものです。

したがって、人間と自然が対峙したときには、人間のほうが学び、気づき、変化するしかありません。その「学び、気づき、変化する」が科学の発生ではないかと思います。

科学が発生すると同時に新しい技術の可能性が芽吹き、さらに科学が目的を持ったときに技術が誕生するのです。

ヘーゲルの弁証法でいうなら、こうなります。

「経済活動＋政治活動＋価値観」で成り立つ人間社会は「つねに変化」しています。その人間社会と、「変化ゼロ」の自然は異質ですから、力の激しいせめぎ合いが起こります。その激しさから、あたかもマグマが溶融するかのように科学的認識が生まれ、同時に、技術も存在することになります。

では、そのマグマのような熱い技術は、どのように社会に浸透していくのでしょうか。

今度もまた、次のように二つの異質なものが対峙して、弁証法的に展開していきます。

技術　vs　人間社会（経済活動＋政治活動＋価値観）

技術は社会に、社会は技術に影響を与えます。そして適合しながら、新しい社会（新しい技術のある社会）になるのです。

その技術の浸透プロセスを断面から眺めたものが、「キャズム理論」といわれるプロダクト・ライフサイクルです。「キャズム理論」は、新しい技術製品が社会に普及するためには「死の谷」を乗り越えなければならない、そのためには大きな企業との戦略的連携が必要である――と説きます。

これこそまさに、技術が社会に浸透していく弁証法的展開の様子だろうと思います。

補遺2
四つの階層の変化スピード

技術が経済活動の中に浸透してくると、政治活動も影響を受けます。経済活動が変わり、産業のあり方が変われば、政治を支える下部構造が変わるからです。下部構造とは、社会生活の生産過程で生じる経済関係の体系、つまり経済構造です。

その影響は、政治活動だけでなく、政治制度にまで及びます。テレビ放送の技術が生まれれば選挙に政見放送が導入され、インターネットの技術が生まれればインターネット選挙が解禁されます。

ここでは、四つの階層のうち次の二つが弁証法的展開を見せます。

経済活動 vs 政治活動

経済活動と政治活動では、変化のスピードが異なります。政治活動、政治制度は、経済活動の変化よりも遅いスピードで変化します。政治活動が変化する仕方がありません。政治活動が変化するには、技術が経済活動に普及・浸透することに加えて合意形成のプロセスが必要になるからです。

ここでも、経済活動と政治活動という、スピードの異なる二つが弁証法的展開を見せながら、人間社会の構成要素である経済活動や政治活動が、新しいものへと変化していくのです。

四つの階層のコーンの第四階層は「価値観」です。

最後に、第三階層の政治活動と価値観がどのように影響しあっているのかを考えてみましょう。

価値観 vs 政治活動

社会の価値観は、政治活動の結果、長い時間をかけて形成されます。変化のスピードが遅い政治活動よりも、さらに変化が遅いのが価値観です。

わかりやすい例は教科書ではないでしょうか。

たとえば、「我が国の王様は宇宙からやってきた」という記述のある教科書を制作するのは自由です。しかし、学校の教科書として採用されるには政治力が必要です。政治力とは、この場合、ある事柄を社会の中で統一的に実行したり認めさせたりする力のことです。

価値観も変化するのは確かですが、とにかくスピードが遅い。これは社会の価値観の「保守性」と呼んでもいいと思います。

社会の新しい価値観は、「新しいこと」に対応することで生まれます。たとえば、炊飯器や洗濯機、電子レンジの到来によって女性は家事から解放され、仕事を通じて活躍するようになりました。政治にも参加し、男女の機会均等を目指す新しい制度も生まれました。しかし、社会の価値観がすっくりと変わったのかといわれれば、それにはまだまだ時間が必要です。

個人でも新しい価値観を身につけるには、大きなショックを経験するか、長い時間をかけた浸透が必要です。新型コロナウイルスのような大きなショックは「リモートワークは悪くない」という価値観の変化を生みましたが、このようなことはめったに経験できません。一方、好きでない新しい食べ物も、食べているうちに好きになることがありますが時間がかかります。

このように、個人でも時間がかかるので、集団的・社会的に新しい価値観が共有されるのには長い時間が必要です。また価値観は、社会のありようを根本的に変えますから、社会の多数に受け入れられるのには時間がかかります。

ここまでの話をまとめましょう。社会を構成する四つの階層のそれぞれの変化スピードは、次のようになります。

価値観……変化のスピードは自然より速く、政治活動より遅い
政治活動……変化のスピードは二番目に速い
経済活動……変化のスピードは一番速い
自然……変化のスピードはゼロ

抽象化して表現すれば、私たちの社会は、変化のスピードが異なる階層同士のせめぎ合いの中から新しい認識や技術が生まれ、それらが最下層の自然から価値観へと順に浸透・波及していくのだと思います。

補遺3
会社とは何か

ここからは、会社と労働、とくに日本におけるそれらについて述べたいと思います。

日本は小さな島国で農耕文化の国です。このような国ではムラ社会が形成されます。人の移動は少なく逃げ場のないコミュニティの中で人生を過ごします。田畑にする土地が新たに見つかることもありません。このような社会で形成される「秩序」では、古くから住んでいる人、あるいは年長者のほうが偉いということになります。年功序列ということです。隣のコミュニティとの関係にも歴史と秩序があるのが普通です。

このような社会では、「一攫千金《いっかくせんきん》を求める」というような文化は生まれにくくなります。

「日本は資本主義国家なのか」は、日本の経済学者が長く答えを出せずにいる大きな問いです。

資本主義には「倒産」と「失業」がなければなりません。世界最古の株式会社といわれているオランダ東インド会社は、もとはヨーロッパからインドへ向かう貿易船に投資するための制度上の「器」でした。十隻に投資し、そのうち三隻が嵐に遭《あ》ったり座礁《ざしょう》したりしても、七隻残れば利益が出る、そんなイメージでした。

「一つのバスケットにすべてのタマゴを入れてはいけない」という考え方を金融用語ではポートフォリオといいます。株式会社はもともと、このポートフォリオを組むために作られた仕組みでした。

一つの会社で十隻の船を出航させたとしても、投資家は複数の船会社に投資することもあります。事故が起きて六隻沈没してしまうとその会社が倒産する可能性もあるからです。

ここで注目すべきは次の事実です。

株式会社とは、倒産を前提に考えられた仕組みである。

そして、前提である「会社の倒産」が起これば、従業員は失業します。つまり、会社は倒産だけでなく失業も前提にしているということなのですが、日本における会社のとらえ方は違うようです。

本来、会社というのは、「やってみないとわからないから、やってみよう」「失敗したら、次をやってみよう」という仕掛けなのですが、日本ではそのようには考えられていないのです。

それはなぜかというと、日本の会社はそもそも、投資の「器」として誕生したわけではなかったからでしょう。

日本の会社は「ムラ社会の法律的表現型」である。

そのように考えれば合点がいきます。

日本の会社が年功序列制であることも、労働市場に流動性がないことも、入社以来のプロパー社員が重用され、例外はあるものの一度会社を離れると非常に条件の悪いキャリアパスを歩まないといけなくなることも、納得がいきます。「倒産」を認めない慣行も理解できます。

日本において会社は投資の「器」ではなく、法律で表現された「ムラ」であるから、「あ、ダメでした」で済ませることはせず、社会が支えようとするのでしょう。

一方で、倒産した場合は「ムラ」としての責任をとらされます。まず大企業の場合、しばしば政府は倒産させないように救済します。それはムラの存続にかかわる問題であり、「倒産のインパクトが大きすぎて倒産させられない」状況にあるからです。

中小企業の場合、経営者個人が借り入れなどの連帯保証債務を負うことが多いので、会社が倒産すれば経営者が個人債務を背負い続けることになり、破産を余儀なくされる場合がほとんどです。破産した経営者は信用会社などのブラックリストに載り、経済活動が著しく困難になります。

補遺4
派遣、非正規雇用とムラ社会

日本の会社と労働者の関係は、大きく変わろうとしています。その発端は、「派遣」と「非正規雇用」です。

「派遣」は日本独自のものではなく、アメリカから日本にやってきたトレンドです。日本での普及が進んだのは一九八〇年代からで、最初は女性中心であり、職種も限られていましたが、やがて男性にも広がり、職種も多岐にわたるようになりました。

これに対して「非正規雇用」は、日本独特ともいえ、諸外国とは様子が異なります。日本では、出稼ぎ労働者や臨時工というかたちで一九五〇年代から増えはじめました。その後、パートタイマー、アルバイトなどが増えつづけ、近年では労働者に占める割合が四割にも達し、「派遣」とともに社会問題化しているのは周知のとおりです。

労使関係は国によってさまざまですが、「同じ仕事に同じ報酬を」という考え方が徹底している欧米では、正規より安い賃金で働く日本型の「非正規雇用」というものはありません。アメリカの場合は社員の解雇が容易のため「非正規雇用」は不要ですし、フランスならそんなことをすれば労働組合が圧力をかけ、すぐにストライキが起こります。

派遣や非正規雇用は企業にとって都合のよいシステムなので、不可逆的に増えていくのは自明でしょう。

企業にしてみれば正規雇用は経費がかさみます。社会保険、労働保険、退職金など給料以外の負担が少なくないだけでなく、定期昇給もあります。これらを正規雇用のベネフィットと呼んでおきましょう。

この正規雇用のベネフィットは資本家・経営者と労働者の長い交渉の成果、もしくは政府への働きかけの結果として実現されてきました。

一方、企業活動の最大の挑戦は「不確実性」です。だれがどのぐらい買うのか正確には予測できない中で、新製品や新サービスを世に送りだすのが企業の営みなのです。

その中で、派遣や非正規雇用は経営者には非常に都合のいい仕組みでした。

不確実性の中での営みにおいて、経費の多くを占める人件費を調整することができるからです。つまり、従来、経営者が負っていた「不確実性」へのダウンサイドリスク（失敗へのリスク）を労働者に転嫁できるようにしたのが、派遣や非正規雇用だったのです。

経営者側から見れば、このような労働者へのリスク転嫁を導入する際の最大の障壁は労働組合です。

労働組合は労働者を守ることが仕事ですから、それぞれの労働組合が、自らが属する社会でどのくらいの力を持っているのか、その強さの違いによって、派遣や非正規雇用が浸透するスピードは違ってきます。

当然のことながら、労働組合が強い社会では労働者への「不確実性の転嫁」が浸透するスピードが遅くなります。しかしそれでも、この浸透力は重力などの自然法則のような強さを持っていますから、少しずつ、少しずつ、社会に浸透しようとします。

ここまでは一般論ですが、今度は日本の特殊性を加味して考えてみます。

日本社会はムラ社会であり、日本の会社は「ムラ社会の法律的表現型」であると書きました。ムラ社会では、転職を繰り返せるようなアメリカ社会とは様子が異なります。しかしそれでも、重力が働いて、派遣と非正規雇用の労使形態は社会に浸透していきます。

前述したように、日本の労働市場の流動性は乏しく、入社も学校の卒業に合わせて同時期、そして一度退職すると条件のよい大手企業への再エントリーは望めません。中小企業の労働条件は大企業に比べると悪く、中小企業の多くが大手企業にぶら下がることで生きているという経済構造になっています。

このような状況下で、企業が宿命として抱えている「不確実性」への対応策として、企業にとっては「安い」派遣や非正規雇用によって多くの労働者が働くことになっているのが日本です。

労働市場の流動性が高いアメリカでは、派遣は正規雇用と同水準の給与で、雇い主には手数料がかかります。つまりアメリカでの派遣はコストが割高なピンチヒッターなのです。割高なピンチヒッターでも短期間に終わるような場合は、長期的に雇用するよりも安いので、アメリカの企業は状況に合わせて「派遣」を活用するのです。また前述のように解雇が容易なので「非正規雇用」は存在しません。パリに長く暮らし大学でも教えている経営コンサルタントに確かめたところ、「非正規雇用」だけでなく「派遣」という就労概念も一般にはないようです。

労働市場の流動性の乏しい日本社会では、一度、大きな会社を退職して「道から外れる」と、起業家やフリーランスを目指している場合は別として、どこかに雇われ続けたいという人にとってはきわめて厳しい状況が待っています。多くの人は派遣、非正規雇用に流れ、正規雇用への復帰はきわめて難しくなります。

そもそも「古株であること」が大切なムラ社会の法律的表現型である日本の会社では、プロパー社員と同等に扱われにくい傾向があった中途入社は避けられる傾向がありました。「不確実性」への対応力に優れた派遣、非正規雇用を組み込んだ労使システムが登場するにいたり、一度会社を飛び出した労働者は、より劣悪な条件で働くようになりはじめたのです。

したがって日本では、派遣や非正規雇用という労使関係が、非人間的な労働環境に人々を追いやることがしばしばあり、また、労働市場全体に影響を及ぼすため、社会問題化しやすい構造となっています。

これに対して、アメリカなどでは同種の問題は少ないようです。

日本の会社について論ずるときにはもう一つ、近年の日本で活用されるようになった「外注の専門家」を加える必要があるでしょう。

それは経営コンサルタントです。

経営技術の専門家集団を経営コンサルタントといいます。二十世紀初頭にアメリカで新しく生まれた職種です。彼らは経営の技術に精通しており、どのような事業でも経営の技術、たとえば経営戦略などを駆使して企業を支援します。

本来は経営戦略などの経営技術は、それぞれの会社が独自に開発し、専門スタッフを社内に有しているのが普通でした。しかし部外者であるからこそわかることもある、同種の事例をたくさん扱うことができるから経験が豊富であるということなどから、経営コンサルタントという職種が生まれました。

これは会社経営にとって画期的なことでした。経営の根幹にあたる経営戦略の外注だからです。経営技術を有したスタッフを社内に抱え込むよりも、スポット的に雇ったほうが安くてすみます。

経営コンサルタントも派遣・非正規雇用も、導入の動機は同じです。

会社は、現場の仕事には派遣や非正規雇用の労働者を、上層部の仕事には経営コンサルタントを活用し、「不確実性」に対応するために外注を増やしていくようになったのです。

ムラ社会の法律的表現型の色が濃い日本の会社では、経営の根幹にあたる経営戦略に携わる外注コンサルタントが定着するには時間がかかりました。しかしそれでも、少しずつ起用されるようになっています。ムラ社会であるがゆえに存続する非効率性、それを改革するのに必要な「外部機関のお墨付き」として使われることも多いようです。

まとめます。

日本の会社はムラ社会の法律的表現型となっているため、ほかの自由主義経済圏の国では見られない特殊な労働市場を形作ることになり、それが企業活動にも影響を与え、労働者へのリスク転嫁も起こり、社会問題化しやすいということです。

労使の関係を通して社会を理解しようとする試みは、私たちに多くのことを気づかせ、学ばせてくれます。そして本項で考察したように、経営の本質的構造や制約、労働者の交渉力といった「労使の対立関係」から理解しようとする試みは、さらに有意義なものとなります。

補遺5
ギグエコノミーの本質は何か

派遣・非正規雇用であれ、経営コンサルタントであれ、「不確実性への対応として人材を外注する」という資本主義的な効率性の追求を目指す経営の潮流と関係しあいながら、社会を大きく変えたのがグローバリズムです。

グローバリズムとは、インターネットや交通手段の発達によりこれまで国境やさまざまな障壁が取り払われ、あたかもそれらが存在しないかのように自由に往来しビジネスができるようになった地球レベルでの潮流です。これに伴い、低賃金の労働者や資源を求めて開発途上国などに先進国のビジネスが入っていきました。またこれは、世界レベルでの経済競争を生み出しました。

グローバリズムによって、経済大国は開発途上国の安い労働力を使えるようになりました。グローバリズムを後押ししたインターネットを活用することで、情報のやりとりだけでなく、国際間の決済も簡単にできるようになりました。

そういう環境の下《もと》、会社はビジネス・プロセス・アウトソーシング（BPO）を始めました。BPOは、事業の一部を専門の会社に一括で外注することをいいます。たとえば、社内で行うのは新製品の企画だけで製造は外注します。ときには、企画から始まって、開発、製造、パッケージングまで、事業のプロセスのすべてを外注することもあるでしょう。

前項までは、過去の労使関係について述べてきましたが、本項で示したいのは、

「会社のありようが根本的に変わってきたし、もっと変わっていく」

ということです。

インターネットを使えば、オフィスに行かずにどこにいても仕事ができますが、そうなると会社からは労働者の働きぶりが見えません。そこで会社が考えなければならないのは、労働者との関係と報酬の決め方です。

成果に見合った報酬を支払うのが効率的だしフェアであると、経営者は考え

るでしょう。私たちは、「資本主義的効率性」を高度に追求する社会へと向かうと思います。

こうした会社のありようの変化は、欧米ではすでに二〇〇〇年代になってから表れています。いわゆるギグエコノミー（Gig Economy）です。有名な成功例に、アメリカで二〇〇九年に誕生したウーバー（Uber）という会社があります。

労働者はここでは、どこに雇われることもなく、会社に出向くこともなく、どこにいてもかまいません。インターネットを通じて単発でタクシーや配達などの仕事を請け負います。

こうしたギグエコノミーの目的は、経営者が労働者にさまざまな不確実性を転嫁することにあります。それが経営者の考える、労働者との経営効率のよい関係ということになります。

このような場合、労働者は自らの待遇と権利を守るために集団を形成して政治に働きかけ、制度の整備を呼びかけます。今後は、従来の労働組合とは大きく異なり、従来の「雇用」という枠からはみ出した、このような動きが活発化してくると思われます。

あらためて問います。

会社とは何でしょうか。

これからの会社は、オフィスに集まり、顔を合わせ、一緒に仕事をするというイメージからどんどんと離れていくでしょう。

物理的に外部にいて、切り出された案件を一つずつ単発でこなす人、それを差配するマネージャー、そして外注先の専門家集団などで構成される組織。それが会社のイメージになりつつあります。

そこへ入ってくるのがＡＩ（人工知能）です。反復作業に強く管理コストも人間より優位にあるＡＩがどんどんと導入されていくでしょう。よくいわれているように、これまで人間が担っていた労働が次々とＡＩに置き換えられていくのは間違いありません。しかも、そう遠くない未来に起こります。

補遺6
完全情報社会

社会はこれから、どんな未来に向かっていくのでしょうか。ショートストーリーを作ってみました。「そう遠くない未来」の話です。

西暦二〇七〇年のことである。

一九九五年にインターネットが急速に普及し、テクノロジーが進歩し、一年が七倍のドッグイヤーになったといわれたが、さらにその変化のスピードが加速して、蟻《あり》の時間感覚、アントイヤーで進むといわれるようになっていた。しかしだれも、アントイヤーが人間の時間感覚の何倍のスピードなのかを知らなかった。

専門家たちは、「二〇二〇年の人間の時間感覚からすると、一年が二十世紀分くらいのスピードだろう。二〇二〇年からの五十年で、人類はこのくらいのスピードでテクノロジーの進歩と社会の変容を経験してきた」と説く。

トーマスは今日も朝から仕事をしていた。ネット経由でのカスタマーサポートだった。かつてカスタマーサポートといえば、コールセンターでヘッドセットをつけてお客の対応をするというものだったらしいが、ずいぶん前からそのやり方は見られなくなっていた。その仕事はＡＩが担っている。

トーマスの仕事は、モニターの前にいることだ。ＡＩでは対応しきれない状況が発生したときのためにスタンバイしているのだ。

スタンバイ中は、コンピューターでゲームをしても、ほかの仕事をしていてもいい。すべては「成果報酬」だ。トーマスの仕事の成果はインターネットによって共有され、その成果に応じて支払われる。世界中にいくつかの巨大なコンピューターが連携して稼働していて、ＡＩが適切な報酬を計算して支払いもする。

「株式会社」というものは、もう存在していない。そういう場が必要なくなったというだけではない。労働は完全に粒状《りゅうじょう》化され、個々人の仕事ぶりはブロックチェーンのように付帯情報とともにインターネットで世界を駆けめぐる。ニセの情報が出回ることもなくなった。

ＩｏＴは各戸に完全に普及し、データ解析が社会に行きわたり、人々の嗜好《しこう》は完全に把握され、販売上の誤差というようなものはない。

かつて資本市場では、「どの産業のどの会社に投資すべきか」という非対称な情報が交換されて投資として実行されていたが、今は、情報を「持つ」「持たない」という社会の「情報の非対称性」はすでに存在しておらず、市場において情報が交換される必要もなくなってしまった。

「投資」という概念は過去のものとなった。なぜなら「投資」は本来、「不確実性」に「賭《か》ける」行為だが、かつての経営者を悩ませた事業の「不確実性」はほとんどなくなったため、「賭ける」ことができなくなってしまったのだ。

経済学は、アダム・スミスの「市場のメカニズム」の発見によって始まった。市場のメカニズムとは究極的には、情報の交換の場であった。多くの経済学者が、現実に合わせて修正を試みた。

最大の挑戦はカール・マルクスによるものだった。「市場経済は資本の運動にすぎない」というのがマルクスの批判であったが、それとて「市場のメカニズム」を真横から眺めた風景を語ったにすぎない。

経済学は究極的には「情報の非対称性」をどう扱うかを考える学問だった

が、科学技術の進歩によって「情報の非対称性」が実質上存在しなくなった。ゲノムの解読も世の中を変えた。

「DNAによれば、あなたは二〇××年まで生きます。ですから、こういう生き方をするのが幸せですよ」

AIを駆使したコンピューターが生き方を教えてくれるので、そのとおりに生きればよい。そしてほとんどの人は、少しの誤差で予測された日に命を終える。

トーマスのもとに、父ジェームズが亡くなったという訃報《ふほう》が入った。予定していた日だった。ジェームズは小学校の教師だった。小学校とは呼んでいるが、児童が一堂に会することはない。コンピューター経由で自宅にいる児童たちにAIが教える。

教育は社会参加のための準備である。社会で大切なのは「個人の能力を使い切ること」であり、では何をすればよいかはゲノム解析と社会のニーズで決まる。AIがその価値観を児童に植えつける様子を観察するのがジェームズの仕事だった。

トーマスは一人っ子なので、母のメアリーと二人でジェームズの葬儀を執り行った。

「あなたのパパはがんばって人生を生きたわね」

メアリーがそう言うのを聞いたトーマスは、

「お父さんは何のために人生をがんばって生きたんだろう」

ボソッと返した。

するとメアリーは、葬儀場の隅に設置されているGHA（人類総資産）カウンターを見ながら言った。そこに表示されている数字は増え続けている。

「何を言っているの。あんなに、社会の富は増え続けているのよ」


（終わり）


これは予測などというものではなく、近未来を描いたフィクションですが、私には社会全体がこの方向に収束していっているように見えます。

収束点と現在のあいだに補助線を引けば、社会の未来が見えてくるのではないでしょうか。

六年前（二〇一四年）に書いた『次世代へ送る〈絵解き〉社会原理序説』では、「技術が社会を変える」という「技術史観」を示したつもりでした。しかし、それだけでは社会原理としては弱いと感じ、二〇二〇年版の本書では、補遺として加筆したいと考えました。

経営の資源は、時間、情報、人、物、金といわれます。重要度もこの順だといわれています。とはいえ、時間はコントロールできません。コントロール可能な資源で最も大切なのは「情報」ということになります。

そういう意識のもと、「情報史観」の提示ともいうべき補遺を添えたいと考えました。

付録　正解のない問題集

「ワークブック」３種はこちらから

https://dze.ro/sgj2

ここに収めた「問い」は、『次世代へ送る〈絵解き〉社会原理序説』を刊行した際に読者プレゼントとして用意した「ワークブック」（問題集）からピックアップしたものです。本書で紹介するにあたって表現を変えていますが、問いの意味するところは同じです。

この問題集にはあえて「答え」をつけませんでした。「問い」に「正解」はないからです。私自身、これらの「問い」に対する「答え」をずっと考え続けています。読者にも一緒に考えてもらいたいという思いもありました。

本書の冒頭で触れましたが、この問題集が好評だったので、本書に付録として収めることにしました。答えらしきものを加えていますが、あくまで「私（阪原淳）の考え」です。自問自答といってもいいでしょう。「正解」はないということを前提に、みなさんも考えてみてください。

オリジナルの問題集には、「みんなのワークブック」「知的にチャレンジする人のワークブック」「会社員のワークブック」の三種類があります。ｄＺＥＲＯのサイトで読むことができるので、興味のある方はアクセスしてみてください（上記ＵＲＬ）。

問い1
未来の社会はどんな姿になっているか

これからはまったく新しい社会が現れるかもしれません。
●それは、どんな社会でしょうか？
●物理的実体のない仮想社会は存在しうるのでしょうか？

辞書（デジタル大辞泉、以下同）によれば、社会とは「人間の共同生活の総称。また、広く、人間の集団としての営みや組織的な営み」です。

社会が「新しくなる」とは「変わる」ことです。社会を支えている科学・技術が変われば、新しい社会が生まれます。その科学・技術は工学的なものだけでなく金融のような仕組みも含まれます。わかりやすい例をあげれば「インターネット」です。この技術の誕生は、社会のありようを大きく変えました。

この問いを考えた二〇一四年には、六年後の二〇二〇年にパンデミックが起こるとは思っていませんでしたが、結果として、労働のあり方を中心に生産にかかわる諸々の仕組みがインターネット上へと急激にシフトしました。本格的なリモートワーク時代の到来です。

空想力を生かして想像すれば、このバーチャルな下部構造の上に、バーチャルな政治や文化といった上部構造が形成される可能性があると考えています。今はまだ、政治や文化が地理的な条件に規定されていますが、今後は違ってくるように感じています。リアルな国家は、ネット上の生産諸関係、つまり技術によってもたらされたバーチャルな下部構造と弁証法的展開をして、新たな上部構造を作っていくはずです。ただし、時間はかかると思いますが。

物理的実体というものをどうとらえるか。リアルで会わないことを仮想とするなら、インターネット上に構築されるコミュニティに仮想社会と呼ぶべきものがすでに現れ始めています。労働のあり方、仕事の仕方、働き方が変わりつつあることから、これまでだれも考えつかなかったような、まったく新しい社会が生まれてくるでしょう。それは仮想社会である可能性が高いと考えます。

問い2
歴史の区切り方にはどのような方法があるか

社会の様子を記録したものを歴史といいます。社会の発展プロセスの記録ということです。

- **歴史の区切り方には、どのようなものがありますか？**
- **それぞれの区切り方で、優れている点を挙げてみてください。**

私たちが日本の学校で学ぶ歴史では、一般的には「〇〇時代」という区分が使われています。これはその時代の中心がどの地域にあったのかを大まかに示したもので、便宜的に使われているものです。権力の中枢のロケーションと時代感覚がイメージしやすい利点があります。

これとは別の区切り方もあります。日本には「明治」「大正」「昭和」「平成」「令和」と、天皇の交替によって区切る和暦があります（明治より前には、天皇一代のうちに何度も改元することもありました）。外国では、王朝によって区切る場合もあります。これらは、区切りが明確であるという利点があります。

ほかに考えられるのは、その時代の中心的な交通手段によって区切る方法です。「徒歩の時代」「牛馬の時代」「蒸気機関車の時代」というわけです。こうすると、時代の特徴を交通手段から理解できます。

西暦のように、キリストの誕生以前、以降で分けることもできますし、コンピューターの誕生以前、以降のような分け方もできます。これも交通手段で区切る場合と同じように区切り方に意味を持たせて社会の発展を理解することができます。

歴史というのは、区切り方で人間社会の見え方が違ってくるので、区切り方は大切です。そして、その区切り方にはいろいろな種類があるということです。

問い3
ヘーゲルの弁証法で説明できることを一つ挙げよ

本書の大きなテーマの一つがヘーゲルの弁証法です。

- **ヘーゲルの弁証法で説明できそうなことを一つ挙げてください。**
- **それはアウフヘーベン（止揚《しよう》）によって何が変わったでしょうか。よくなったことと、逆に悪くなったことを考えてみてください。**

バッテリーが小型化して長時間使用が可能になり、スマートフォンなどの小型デバイスが発展しました。これは新型バッテリーと旧来のデバイスの弁証法的展開の結果だと思います。

便利になったのはよいことですが、どこへ行くにも二十四時間、デバイスを手放せなくなったことについては、よいことなのかどうか、わかりません。

問い4
日本語はどう変化してきたか

アメリカでは南北戦争以後、文学などに使われる英語がシンプルになったといわれます。

●日本語は何かをきっかけにシンプルになったということはあるでしょうか？

●あるとすれば、それはどんな理由からだと思いますか？

もともと文字を書くことは、人類の一部に限られた行為でした。日本の古典文学では「山」といえば比叡山《ひえいざん》、「川」といえば鴨川《かもがわ》を指しますが、識字率の低い当時の日本では、書き言葉を操る人々は当時の都、京都に限られていたからなのです。そして書き言葉は、非常に知的で高尚《こうしょう》なものであったろうと思います。

教育の一般化が進み、識字率が高くなると、書き言葉が道具化して日常化します。日常化することで、書き言葉は話し言葉にどんどん近くなっていったのではないかと思います。話し言葉はシンプルなものですから、書き言葉もどんどんシンプルになっていったと考えています。

このような現象（言語のシンプル化）は、世界で見られます。また、それぞれの言語圏の外にも影響を与えているように見えます。シンプルな英語で書かれたレイモンド・カーヴァーの作品は村上春樹《むらかみはるき》が訳しており、村上春樹自身の作品にも影響を及ぼしているように思われます。

問い5
どんな経済体制がよいか

資本主義、共産主義などの経済体制について考えてみてください。

●あなたはどんな経済体制がよいと考えますか？　それはなぜですか？

●これからはどんな経済体制になると思いますか？

まず、「経済とは何か」を確認しておきましょう。

辞書には、経済は「人間の生活に必要な財貨・サービスを生産・分配・消費する活動。また、それらを通じて形成される社会関係」と記されています。この中の「社会関係」という部分に私は注目しました。

また「経済学」は、「社会科学の一分野で、経済現象を研究する学問」とあるので、社会関係で発生する現象を研究する学問が経済学ということです。社会科学は「社会現象を研究の対象とする科学の総称」です。科学には自然科学という学問領域があり、物理学、生物学、化学などの分野を内包する大きな概念です。科学といえば一般的には自然科学を連想することが多いと思われますが、その自然科学的な方法で社会現象を研究するのが社会科学です。

関連して「景気」という言葉がありますが、これも辞書によると「売買や取引などに現れる経済活動の状況」です。経済は社会関係ですから、その社会関係の中で現れる活動の様子を「景気」と呼ぶということでしょう。

以上のことを前提に、経済体制について考えてみます。

現存する経済体制には次のようなものがありますが、それぞれについて私の解釈を記します。

【市場経済】 自由に経済活動を行えば、需要と供給は市場で調整されるという点がポイントです。

【計画経済】 本書で説明していますが、中央政府は個々人の能力や好みを把握できません。努力や成果によって報われるという仕組みが用意されていないので、効率的でも効果的でもなく、計画経済体制は機能しません。

【資本主義】 辞書には「封建制度に次いで現れ、産業革命によって確立された経済体制」とあります。資本に着目して市場経済を理解する経済体制です。一般的に多くの人間はこの資本の動きから自由ではありません。持つ者と持たざる者の階級化は、つねに人々の関心事となっています。

【社会主義】 辞書的には「生産手段の社会的共有・管理によって平等な社会を実現しようとする思想・運動」です。私の解釈では、社会主義社会は実質的には計画経済です。生産手段を共有・管理するということは、だれかが「計画」しないといけませんから、そうなります。

【共産主義】「財産の私有を否定し、生産手段・生産物などすべての財産を共有することによって貧富の差のない社会を実現しようとする思想・運動」と、辞書にはあります。社会主義との違いは、財産の私有を認めるかどうかです。

では、どんな経済体制がよいのか。それは「個人の好み」だと思いますが、私の場合は自由が好きで、努力が報われてほしいので、市場経済＝資本主義を選びます。

ただし、市場経済では、持つ者と持たざる者の差が生まれやすく、それを放置するのはよくないと考えます。

持つ者は教育にも恵まれますし、余裕がありますから新しいことにも挑戦できます。資産を投資で運用することもできます。一方の持たざる者はよい教育を受けることもできず、新しいことへの挑戦はおろか、投資もできません。市場経済（資本主義）は、確かにがんばった人には成功のチャンスはありますが、最初からチャンスが不平等な社会がよいとは思えません。格差を解消する制度なり方法が必要です。

社会主義、共産主義、計画経済などの概念が重要視され、ソビエト社会主義共和国連邦が存在していた二十世紀後半までは、工場や設備などの生産手段を所有していることが大きな意味を持っていましたし、労働者といえば工場労働者を中心に考えられていました。

本書の補遺で述べたように、今はその時代とは労働のイメージが大きく変化しています。非正規雇用の仕組みが浸透し、ギグエコノミーが生まれ、インターネット経由で単発の仕事を受注する人たちが増えてきました。したがって、昔ながらの所有や労働のイメージを前提にした議論は実態には当てはまらなくなっています。

近未来にはどんな経済体制が生まれるのか。

ギグエコノミーなどが発達した社会では、成果に応じて報酬が支払われるという「効率性の高い、高度な資本主義が広がる社会」がくると思います。荒涼とした厳しい競争主義の世界観です。日本のように倒産や失業を許さない社会では、非常に過酷《かこく》です。

倒産や失業などで失敗しても社会への再エントリーを容認する価値観の教育、そして具体的なサポート体制が必要とされ、生まれてくると思います。また労働者を守るためには、政治や制度が必要で、資本主義的効率性を追求する動きと、労働組合などによる労働者保護の動きがぶつかりながらバランスを探り、新しい社会が作られていくと思います。

問い6
価値をどのように決めるか

経済学者にとっての大きな研究テーマに「価値」と「価格」があります。

- **あなたは「価値」をどのように決めていますか？**
- **製品の価格はどのようにして決まると思いますか？**

非常に難しい問いだと思います。経済学者は価値と価格についてずっと考え続けているといっても過言ではありません。

経済学の世界で有名な理論に、「労働価値説」と「効用価値説」があります。「労働価値説」は、生産するために必要な労働時間によって、その商品の価値が決まるという理論です。

一方の「効用価値説」は、価値の決定が人々の主観的な判断にゆだねられていると説きます。「ビールの一杯めは二杯めよりおいしいから価値がある」ということです。

労働価値説の説明はわかりやすいのですが、労働時間とは関係なく価格が決まる美術品などの例を考えると、効用価値説のほうがしっくりときます。なお私は、価格は価値と比例して決まると考えています。

価値は必ずしも価格で表現されうるものではないのですが、どうしても相対的に評価しなければならないときは価格によって表現するよりほかありません。私の個人的な価値の考え方は、「それがない状況を引き受けるとしたら」いくら支払ってもらえば納得できるか、と自ら問うことです。

たとえばどうしてもやりたい夢がある。それをあきらめるためにいくら払ってもらえれば納得できるのかと問うと、その夢の価値が価格として相対的に表現されます。

中学校や高校では、価格は需要曲線と供給曲線の交点で決まると教えている場合もあるようですが、これは間違いです。

需要曲線は「安ければ多くの人が買うだろう」という買い手の価格と需要量の関係を表現したもの、供給曲線は「安ければ売りたい人は少ない」という売り手の価格と供給量の関係を表現したものです。この二つの曲線が交わる「均《きん》衡《こう》価格」に向かって、市場価格は収束していくということです。

しかし実際には、均衡価格より高くても買い手は存在し、低くても売り手は存在しますから、価格が「決まる」わけではありません。したがって、自分が買うにせよ売るにせよ、製品の価格を設定するためには、需要曲線の均衡価格はあまり意味を持たないのです。

需要曲線が存在するかぎり、価格が高くても安くても、曲線上のどこの位置にも買う人はいます。高い価格で売りたければ、高い価格で買う人を見つけて売ればよいだけです。低価格のほうが多くの人に売れるかもしれませんが、高価格で売れないというわけではないのです。

価格を決める方法としては、費用に利益をのせる方法、競争相手と同じような価格にする方法、そして、価値に見合った価格をつける方法の三つが知られています。

理想は三番めの「価値に見合った価格」にすることです。

サービスなり製品なりの価格を決めるとき、私ならばこのように考えます。

まず、提供するサービスなり製品が、医師や弁護士のような国家資格を要したりプロフェッショナルなものなのかどうか。そのようなものであったなら、日当払い、時間あたりの報酬になります。もちろん、がんで困っている患者がお金持ちだからといって高額な医療費をふっかけることは背徳的であり、やってはいけないことだと考えます。しかし、そのような状況でなければ、できるだけ高い報酬を得たいのが人情です。

これを実現する方法はあります。オークションです。オークションの仕組みを使えば、理論的には最高の価格がつきます。

オークションを使えない場合は、次のように価格を決めます。

①赤字にならない最低限の価格を確認する。

②競合製品、類似製品の価格を確認する。

③値頃《ねごろ》感を確認した上で、競合製品・類似製品と自社製品の付加価値を比較する。

これらを考慮に入れて価格を決定します。その際には、価格×販売数量が最大になるよう注意します。付加価値の分析や値頃感の発見、需要量の確認のために、マーケティング調査をするかもしれません。

私はこのように価格を決めますが、相対で価格を決めるような場合、相手が価格決定にかかわる情報を持っていない場合がありますが、そのようなときには、フェアであったと思ってもらえるように価格をつけますし、価格決定プロセスを理解してもらえるように説明します。

問い7
なぜ「王」がいるのか

人間社会には「王」という存在があります。

●「王」にはなぜ権力があるのでしょうか?

●「王」が存在する意味は何でしょうか?

本書の「5 マダルの虎」は私が考えたショートストーリーですが、この物語にはマハラジャが登場します。マハラジャはインドの地方の王のようなものです。

世界、とくにヨーロッパでは「王」と呼ばれる人が周辺地域を治めている時代がありました。なぜ人間は「王」という権力を誕生させ、その地域の統治をゆだねていたのでしょうか。

王が王であることの説明には、「王権神授説」があります。王が有する権力は神が授けたものだとする説です。

また、所有を認める社会では、強大な経済力や政治力を持つ者は王として、あるいはそれに類する称号を与えられてきました。

神の存在は科学的に肯定も否定も証明されていませんが、仮に「神がいない」が真実だとしましょう。にもかかわらず、王権神授を説くならば、それは社会が「神は存在する」という世界観を前提に、一人の人間を「王」と決めていることになります。

王を決めることで、社会が平和的に維持されるなどの合理性があったのでしょう。

問い8
「所有」のない社会はありうるか

所有を許さない経済制度（共産主義）もありますが、実際には世界中に「所有」の概念も制度も根付いています。

●社会にとって、所有より高位（普遍）の概念や制度はあるでしょうか？

●あるとすれば、どのような概念や制度でしょうか？

結論からいえば、「所有」より高位の概念を持つ社会をイメージするのはかなり困難です。

ライオンやハイエナなど、野生の動物は食べ物のとり合いをします。どうしてとり合いをするのかというと、食べ物に希少性があるからです。希少であるかぎり、とり合いが起こる、つまり、所有権を主張できない弱肉強食の世界では、所有をめぐる争いが必ず存在するのです。

野生、つまり自然に存在するこの「所有」への誘惑《ゆうわく》から、人類はなかなか自由にはならないということです。したがって、「所有」は高位の概念であるといえると思います。

地球の隅から隅まで探せば、所有の概念も制度も存在しない社会があるかもしれませんが、私の知る限りでは、そのような社会は見たことがありません。それだけ「所有」は、人間社会にとって普遍的な制度になっているということです。

「所有」より高位にある概念や制度をあえて探せば、「殺人は罪」という概念や殺人を罰する制度でしょうか。しかし、戦争では人を殺しますし、人を人と認めずに殺すこともあるので、「所有」より高位で普遍性があると考えるのは難しい気がします。

問い9
どのように決めるか

政治の役割を一言でいえば「ものを決めること」ではないでしょうか。

●ものの決め方を三種類、挙げてください。

●三種類について、それぞれの長所と短所を考えてください。

ものの決め方は、大きく分けると次の三種類になると思います。

①物知りで賢い人が決める。

②多数決で決める。

③ジャンケンやクジ引きで決める。

それぞれの長所と短所を考えてみます。

①は、それなりに正しい決断をすることができるでしょうが、いつも正しいとは限りません。物知りといっても、森羅万象すべてについて知っている人はいないからです。またこのような決め方を続けていると、独裁に陥る可能性もあります。

②の多数決は「多数派の意見を尊重した」というだけで、それ以上でもそれ以下でもありません。多数決による結論が正しいかどうかもわかりません。

③は偶然に任せてしまう決め方です。言い合いで時間をとられることもなく、波風も立たないでしょう。選択肢について何の吟味もされませんが、「どれ（だれ）を選んでも同じようなもの」という場合には、この方法を採用すればいいと思います。

政治的な選択の場では、最後は多数決にするとしても、その選択に参加する人のすべてが正しい情報に基づいて選択肢を吟味する必要があるでしょう。言い換えれば、そのような姿勢を持つ人だけでメンバーが構成されているのが理想です。

問い10
戦争が起こるのはなぜか

国家間の戦争について考えてください。

●戦争はどのような理由で起こるのでしょうか？

●一人の人間が兵士に変わるプロセスを説明してください。

戦争が起こる根源的理由は、次の三つだと私は思っています。

①内政の事情
②希少品の奪い合い
③物語

国民の不満がたまりにたまると、最後には指導層を倒すための革命が起こります。国の指導者たちはそれを避けるために、いろいろな理由を見つけてはほかの国と戦争を起こします。

単純に経済的な理由から、隣国の資源（希少品）を奪いとろうとすることもあります。

最も大きな原因は、それぞれの社会が持つ「物語」ではないでしょうか。

物語は「世界観」と置き換えることもできます。

それぞれの社会には、それぞれの「物語（世界観）」があります。自分たちとは異なる物語を持つ社会には、憎悪の感情を抱きやすくなります。その憎悪が満ちてきたときに戦争が起こるのではないでしょうか。

次に、個人に焦点をあてて考えてみますが、ここにも物語が関与していると思います。

人は、制服（軍服）を着ることによって、個人から兵士になります。制服は、兵士の「物語（世界観）」に入るためのきっかけなのではないでしょうか。

個人が個人の名の下《もと》に爆弾を落としたり、銃弾で人を殺したりはなかなかできないものです。

「物語（世界観）」の正体は何でしょうか。詰まるところ「思考停止」なのではないかと思います。物語に思考をゆだねることで思考が停止し、人は戦争に向かうのではないかと思うのです。

問い11
才能とは何か

「才能に恵まれている」とか、「あの人は才能がある」「自分には才能がない」など、「才能」という言葉はよく使われます。

●「才能」とは何でしょうか。自分なりの定義を考えてください。

●「才能」は生まれつきのものでしょうか？

辞書を引いてみると、表現はさまざまです。「物事を巧みになしうる生まれつきの能力」（デジタル大辞泉）とか、「物事をうまくなしとげるすぐれた能力」（大辞林）とか、「才知と能力。ある個人の一定の素質、または訓練によって得られた能力」（広辞苑）などとあります。よく使われる言葉ほど、意味を聞かれると答えが難しいものです。

「才能」とは、「運」としかいいようがないものだと私は考えます。才能は努力なしでは開花しません。つまり、努力してみないと結果（才能が開花するかどうか）はわかりません。

「才能の開花と運」について、若いころに仕事の大先輩から、こんな喩《たと》え話を聞いたことがあります。

人々は時計の文字盤の上に立っているとする。
多くの人は時計の長針を追いかける。
長針を追いかけて摑《つか》める人もいる。
しかし本当に大きな成功を果たしたのは、その場で動かずにがんばっていたら、短針が向こうからやってきた人であることがしばしばである。

結局、才能は「運」としかいえないものだと思います。

問い12
志が折れる理由は何か

「合理的に立てた志は、合理的な理由で折れる」という考え方があります。これについて考察し、自由に論を展開してみてください。

人は（とくに年を重ねると）、「やりたいこと」に理由を求めるようになります。「理由がある」ということは「合理的」であるということです。しかしながら、その理由には「前提」があるのが常であり、その前提が変わると、その「やりたいこと」も変わってしまいます。

たとえば、好きな異性を喜ばせるためにやりはじめたことは、違う異性を好きになるとやめてしまう可能性が大きいでしょう。「儲《もう》かるから」を理由に始めたことは、儲からなくなるとすぐにやめてしまいます。

だから、理由をつけて選んだ（合理的な）志は途中で折れてしまうのです。「あ、これは面白い、やりたい」というように、理由づけしない志を夢中で追いかけることができたら、いつかその志はかなうと思います。ただし、その「才能」をだれも評価してくれなければ、その「やりたいこと」に値段はつかず、やりたいことで報酬を得ることはできません。職業にはならないということです。

趣味で続けることも、生活の心配がなければ可能ですが、職業として続けるほうが、ひとりよがりにならずに才能を発揮しやすいのではないかと思います。職業であれば、要求に応えながら代価に値する水準の完成度を意識し、長い時間を費やすからです。

「才能」とか「志」といわれても具体的な手がかりがないこともあるでしょう。何をすればよいかわからないときは得意なことをやればいい（夢中になり楽しみながらがんばれます）、得意なことがわからないときは、自分ができることで最も高い値段がつくことをやる（客観的に見て能力が高いということです）、高い値段がつくのに気が向かないときは、長続きした（しそうな）ことをやればいいのではないかと思います。続くということは嫌いではないということ、長く続ければ習熟し上手になっていきます。

あとがき

私は二〇二〇年春から大学で英語を教え始めました。夏になり、学生の前期の成績をつけました。じつは私は一度も学生に会っていません。新型コロナウイルスのパンデミックが起こったため、オンラインでの講義のみになったからです。

半年前には想像さえしなかったことが現実に社会で起こっています。

私たちは答えも手本もない時代を生きています。

答えのない時代を生きるためには「根本原理」に着目し、そこから先は自分で考えられる力を武器にして生きていくのがよいと思います。

拙著によって自分で考えようとする人、学問の創造性を感じてくれる人が一人でも増えれば幸いです。

阪原 淳

参考となる文献など

少し歯ごたえがあるものを選んで、コメントをつけました。理解しよう、覚えようとする必要はありません。この著者はどんな時代に生きたどんな人なのだろう、どうしてこんなことを考えたのだろう、というふうに問いながら読めばいいと思います。それらがわかれば、細かな情報は気にしなくていいでしょう。それが「創造的に学問する」ことだと私は考えています。

さまざまな版が存在する古典が多く含まれています。どの版でもいいのですが、古書も含めて入手しやすいと思われる版の出版社名と刊行年を記しました。

都留重人編『岩波小辞典 経済学』岩波書店、二〇〇二年

わかるところから虫食いに読み、時に味読すると創造的に経済学に向き合える気がします。

アダム・スミス『諸国民の富』全五冊、岩波文庫、一九九五年

経済学の始祖アダム・スミスの名著です。分業と市場経済、需要曲線、供給曲線という経済学の大きな枠組みが提示されています。

カール・マルクス著、フリードリヒ・エンゲルス編『マルクス 資本論』全九冊、岩波文庫、一九九七年

資本主義批判の名著。世界でバイブルの次に読まれたといわれています。

カール・マルクス、フリードリヒ・エンゲルス『共産党宣言』光文社古典新訳文庫、二〇二〇年

階級闘争についてわかりやすく書かれています。

ジョン・メイナード・ケインズ『雇用、利子および貨幣の一般理論』上下巻、岩波文庫、二〇〇八年

マクロ経済学、経済政策に関する古典的名著です。

フリードリヒ・ハイエク「社会主義について（Hayek on Socialism）」https://youtu.be/CNbYdbf3EEc

ハイエクへのインタビュー。YouTubeで見ることができます。英語ですが、社会主義の問題を簡潔に的確に説明しています。

倉澤資成『入門価格理論』日本評論社、一九八三年

ミクロ経済学に興味のある人に。私の学生時代からの定番教科書です。

齊藤誠、岩本康志、太田聰一、柴田章久『マクロ経済学 新版（New Liberal Arts Selection）』有斐閣、二〇一六年

巻末に歴代ノーベル経済学賞受賞者と受賞理由の一覧が付されている志の高い教科書です。

梅棹忠夫『文明の生態史観』中公文庫、一九九八年

私の「社会原理序説」に大きな示唆をくれた名著です。

梅棹忠夫『情報の文明学』中公文庫、一九九九年

戒名の値段について言及した発想の柔らかな名著です。

矢矧晴一郎『経営目標達成の黄金律「ＹＳ法」』出版文化社、二〇〇七年

意思決定の技法についての名著です。ロジカルシンキングを数値とともに使う奥義が紹介されています。

河上肇『貧乏物語』岩波文庫、一九六五年

貧乏とは何かを問うた名著です。この本を通じてローレンツ曲線を理解できます。青空文庫にもあり、無料で読めます。

Louis Hyman, *Temp: How American Work, American Business, and the American Dream Became Temporary.* Viking, 2018.

派遣トレンドの源流はアメリカです。「派遣とは何か」を起源から理解したい人に。経済史の視点で整理されています。

［著者略歴］
著述家、映画監督、大学講師。1966年、京都府に生まれる。京都大学経済学部でゲーム理論と組織の経済分析を専攻。大学卒業後は電通を経て渡米。カリフォルニア大学バークレー校でMBAを取得し、シリコンバレーでベンチャー企業に参加する。2001年には、製作に参加したアメリカ映画「Bean Cake（おはぎ）」がカンヌ国際映画祭短編部門でパルムドール（最高賞）を受ける。大学で客員研究員や講師をつとめながら、国内外のチームとともに映画作りを続けている。
著書に『サリンとおはぎ』（講談社）、『小さくても勝てます』（ダイヤモンド社）、『直線は最短か？』（ヤマハミュージックエンタテインメントホールディングス）などがある。

増補《ぞうほ》 社会《しゃかい》原理《げんり》序説《じょせつ》
それでも変《か》わらない根本的《こんぽんてき》なこと

著者 阪原《さかはら》 淳《あつし》

2020年10月14日 第1刷発行

装丁 渡邊民人（TYPEFACE）
装画・本文図 須山奈津希（ぽるか）

発行者 松戸さち子
発行所 株式会社dZERO
http://www.dze.ro/
千葉県千葉市若葉区都賀1-2-5-301 〒264-0025
TEL: 043-376-7396 FAX: 043-231-7067
Email: info@dze.ro

本文DTP 株式会社トライ
印刷・製本 モリモト印刷株式会社

978-4-907623-36-4